Verfrühte Tierliebe

Katja Lange-Müller

Verfrühte Tierliebe

Kiepenheuer & Witsch

Dieses Buch wurde mit einem Stipendium
vom Deutschen Literaturfonds Darmstadt gefördert.

1. Auflage 1995

Umschlaggestaltung Kalle Giese, Overath
Umschlagillustration Stachel einer Stechmücke
Satz Jung Satzcentrum GmbH, Lahnau
Druck und Bindearbeiten Pustet, Regensburg
ISBN 3-462-02445-0

Verfrühte Tierliebe – Teil I

Käfer

»Seit ich die Tiere kenne,
liebe ich die Pflanzen.«

H. Beyer, Schauspieler

Unsere Schule war ein fast quadratischer Bau aus
rotgelben Ziegeln, unter dessen Dach früher einmal
eine Schokoladenfabrikation gehaust haben soll, was
ich manchmal für möglich hielt, wegen des vanil-
leähnlichen Geruchs, der – schwach, doch penetrant
genug in seiner Andersartigkeit – den üblichen Boh-
nerwachs-Pisse-Gestank durchdrang, wenn es sehr
heiß wurde von der Sonne im Sommer oder, schon
seltener, im Winter von den gußeisernen Heizkör-
pern, deren abblätternde braune Rostschutzfarb-
partikel ich eine Zeitlang sammelte, wie auch von
den specksteinernen Fensterbänken die krepierten
Fliegen, die ich, am liebsten während der Mathema-
tikstunden, im Hinterhalt eines wackligen Lehr-
bücherturms mit Hilfe der Barthaar-Entfernungs-

Pinzette meiner Mutter in ihre Bestandteile zerlegte, um sie anschließend häufchenweise, die Körper zu den Körpern, die Köpfe zu den Köpfen, die Beine zu den Beinen, die Flügel zu den Flügeln, auf vier verschiedenfarbig bemalte Zigarilloskistchen der Sorte »Sprachlos« zu verteilen.

Wie eine kleine Schachtel ohne Deckel in einer großen, mit viereckigen verglasten Luft- und Gucklöchern, steckte in der Schule der Schulhof, über den, den Herbst meines sechsten Schuljahres lang, immer früh, noch vor der Nullstunde, nicht gerade schnell und dicht beieinander, zwei Ratten liefen, bis der Hausmeister eines Morgens wenigstens die eine mit der Kohlenschippe erwischte. Die andere aber rannte nicht etwa panisch davon, sondern tappste, wie besoffen, geschockt, verwirrt... direkt neben der Erschlagenen im Kreis umher, was den Hausmeister derart erstaunte, daß er, die Schippe vorsichtshalber in der Hand behaltend, trotz seines Gelenkrheumatismus niederkniete, um die übrige Ratte näher zu betrachten. Und weil er seinen Augen, selbst auf diese nun wirklich kurze Distanz hin, nicht trauen wollte, oder aus Angst um deren Licht – vor der Ratte –, griff er auch noch zu der Lesebrille, die ansonsten, gemeinsam mit einem alten Füllfederhalter, zu rein dekorativen Zwecken im

Brustlatz seines nie richtig sauber gewaschenen, aber immer steif gestärkten und plattgemangelten Blaumanns steckte.

Bei einem solchen Aufwand an Aufmerksamkeit konnte dem Hausmeister gar nicht entgehen, daß die Augäpfel dieser am Leben gebliebenen Ratte ganz milchig waren und daß sie in ihrem von gesträubten, zitternden Barthaaren gesäumten Maul zwischen den gelben Raffzähnen ein Ästchen hielt, an dem, nach den Worten des Hausmeisters, ihre »gefallene Artgenossin« sie »durchs Dasein« geführt habe, »wie ein treuer Blindenhund«.

Bis der Hausmeister gegen Ende der Neujahrsferien endgültig auf Rente ging, wohnte Rolf – denn so und mit einem Pils-Bier hatte er, »der Toten zum Gedenken«, wie er uns erklärte, die weißäugige Ratte getauft – nun in des Hausmeisters Heizungskeller, wo sie es schön warm hatte; wir auch, wenn wir sie während der großen Hofpause ausnahmsweise mal füttern durften, doch nur mit Brot- und nie mit Wurststückchen.

Ziemlich genau in der Mitte des nahezu rechteckigen Schulhofes stand, ich will nicht sagen »wuchs« –

denn für das, was nach meiner Vorstellung mit dem Wort »wachsen« gemeint sein könnte, geschah dies, wenn es überhaupt noch geschah, kaum wahrnehmbar langsam –, eine etwa dreizehn Meter hohe Sommereiche. Daß dieser Baum uns als Sommereiche galt, war das angeblich logische Resultat einer Behauptung unseres alten Biologielehrers, derzufolge es möglich wäre, einen Baum, mangels anderer oder weiterer Indizien, allein nach der Struktur seiner Rinde zu bestimmen. An keinem Frühlingstag auch nur eines Jahres der insgesamt zehn, die ich ihn kannte, hätte jemand den Baum anders sehen können als kahl. Noch jeder der alle zwölf Monate aus ihm hervorbrechen wollenden frischen Triebe verschwand, sobald sich dieser Vorgang als Verfärbung der äußeren Extremitäten seiner weit verzweigten Äste bloß andeutete, wie eine Fata Morgana; Goldafterraupen fraßen die Knospen auf, blitzartig und restlos.

Möglicherweise war ihr Entdecker ein Unglückswurm von einem Menschen namens Goldafter, doch dafür, daß dies der Grund war, sie so zu nennen, fand sich niemals irgendwo nur ein Anhaltspunkt, und so verstehe ich bis heute nicht, warum diese Kreaturen Goldafterraupen heißen. Von denen, die ich je erblickte, hatte keine einen goldenen Arsch vorzuweisen, nicht einmal einen gelben, und die Fäden, die aus ihren geschwollenen Hinterleibern kamen, wenn sie sich von Zweig zu Zweig schwangen oder erdwärts abseilten, waren auch bloß hellgrau, wie die der Spinnen. Aber hieß der Baum, dessen Knospen, Triebe, Blätter, Blüten, Früchtchen… allein von den holzbraunen, büschelborstigen Goldafterraupen dargestellt wurden, nicht genauso sinnlos Sommereiche?

Manchmal lagen einige vielleicht schwache, vielleicht ungeschickte, vielleicht flüchtige Goldafterraupen am Boden; sie wurden augenblicks zerstört, in den Schotter gerieben mit eisenbeschlagenen Schuhspitzen, mit Steinen und Stöcken. Ansonsten fiel während der ersten sechs Schulfrühjahre keinem von uns etwas ein zu den Goldafterraupen, und nicht einmal unser Biologielehrer wußte, welche Art Falter im Vorstadium sie verkörperten. Sie verpuppten sich nie; wenn sie es aber doch taten, schließlich waren sie Raupen, dann wahrscheinlich woanders, oder es dauerte bloß eine Nacht, denn jedes Mal waren sie eines Morgens alle weg, ob nun ihrerseits von irgendwem aufgefressen, metamorphosiert ins Diesseits entflogen oder atomisiert – zu Staub zerfallen –, das blieb unergründlich und beschäftigte meine Phantasie eben deswegen so sehr, daß ich, im siebenten Frühling, unter der Schulbank das Kartoffelmesser meiner Oma aus der Strickjackentasche zog, damit einen Weinflaschenkorken aushöhlte, drei tags zuvor auf dem Schulhof eingesammelte Goldafterraupen in das Loch steckte und dieses mit stabgitterartig angeordneten Nähnadeln verschloß. Schon gab es den ersten animalisch gefüllten Knastkorken.

Zunächst verlief mein Studium des Verhaltens von Goldafterraupen unter besonderen architektonisch-sozialen Umständen noch halbwegs befriedigend; in der folgenden großen Pause fanden sich für die neuartige Bastelei neben einigen Bewunderern auch wenige Nachahmer, und sogar meine Versuchssubjekte verhielten sich – indem sie, Tröpfchen einer gallegrünen Flüssigkeit absondernd, die eng gesteckten Nadeln unermüdlich mit den Zangen ihrer Freßwerkzeuge zwickten, die vorderen Saugnapffüße zwischen sie zwängten und ihre Chitinpanzerstirnen gegen den edelstählernen Vorhang drückten – ganz so, wie man es von Sträflingen erwarten darf.

Es gab nur ein echtes Problem: Ich hatte keine Ahnung, wie ich die Goldafterraupen füttern sollte. Das, wovon ich wußte, daß sie es fressen, nämlich das Grün der Sommereiche auf unserem Schulhof, hatten sie ja bereits vertilgt. Wahrscheinlich existierten in unserer Gegend, auf dem Friedhof vielleicht oder in einem der Parks, weitere derartige Bäume. Doch selbst wenn ich die nächsten Sommereichen gesucht und dann noch gefunden hätte, nach allem, was ich bisher darüber wußte, mußte ich vermuten, daß auch die kahlgefressen waren, von genau solchen Goldafterraupen. Also schob ich den dreien da im Korken Blätter anderer Pflanzen durchs Gitter, dann Grashalme, dann Apfel- und Rübenhäppchen. Offensichtlich wenig lernfähig, bissen meine Goldafterraupen – wenngleich kaum mehr halb so kämpferisch wie anfangs – in nichts als die Nähnadeln, auch nicht einander. Schließlich, am fünften Tag des Experiments, gegen vierzehn Uhr dreißig, mitten in der Deutschstunde, während wir gerade ein Diktat schreiben mußten, starben sie wie Exekutierte – alle zusammen und annähernd gleichzeitig – und hatten sich, vom ersten Moment ihrer Haft an bis zu dem ihres Todes, äußerlich kein bißchen verändert, nicht einmal dünner waren sie geworden.

Die ersten Tage des achten Schuljahres verbrachte ich sonderbar gestimmt. Ich weinte oft und grundsätzlich ohne Anlaß, heimlich rauchend auf dem Mädchenklo. Danach fühlte ich mich meistens besser, aber genau genommen bloß leer, obgleich ich die Toilette bei diesen Gelegenheiten nur selten für eine ihrer beiden eigentlichen Bestimmungen benutzte. Und leer blieben seit der Zeit auch die bunten »Sprachlos«-Schachteln, die ich über dem letzten Ferienlagersommer vergessen hatte, in einer Ecke der elterlichen Wohnung, zu der alleine meine Oma noch »das Kinderzimmer« sagte.

Obwohl regulär Biologie auf dem Plan stand, ein Fach, das den meisten von uns nicht das unangenehmste war, beorderte uns die Sekretärin des Direktors zur dritten Stunde des zweiten Oktober-Dienstages dieses neuen Schuljahres in jenen selten gebrauchten, weil prinzipiell gemeinschaftlichen Anlässen vorbehaltenen Saal den ich wegen der, wenigstens bei mir, Würgereflexe auslösenden »Immer-Bereit-Zur-Schülervollversammlung-Atmosphäre«, die da drinnen herrschte – assozierend von der einzigen möglichen Pluralform des originalen Wortes für derartige Säle –, »die Aule«* genannt hatte.

An diesem Dienstag stand kein Rednerpult auf dem großen Podest; statt dessen befanden sich dort, wie Kulissen, die einen Umzug vortäuschen sollten, sperrhölzerne würfelförmige Kisten, und eine Art

* norddeutscher Ausdruck für Rotz, Spucke

Tafel war arrangiert, aus aneinandergereihten Schulbänken, die denen in unseren Klassenzimmern glichen. Es roch ein wenig anders als üblich, nach Zoo oder nach Zirkus, aber kein Direktor trat auf, wir sollten kein Lied singen, auch nichts geloben. Nicht einmal klassenweise, sondern gerade so, wie wir hereinkamen, durften wir uns gleich hinsetzen, wir Schüler der Oberstufe, ein jeder, wo er wollte, und in die vordersten Reihen, weil die nervösen Kleinen, auf die wir sonst immer Rücksicht nehmen mußten, diesmal offenbar nicht zugelassen waren.

Ein Mann, den ich noch nie gesehen hatte, öffnete die Tür links neben der Bühne. Er tat mit zurückgelegtem Oberkörper einen komisch und zugleich lasziv wirkenden langen Schritt, der genau bis vor die kleine Seitentreppe reichte, hob im hohen stumpfen Winkel ein Bein über ihre drei Stufen, als sei die Treppe keine Steighilfe, sondern eine Hürde, schwang das andere Bein lässig nach und kam, wie ein guter Geräteturner, ohne das zarteste Schwanken sofort zum Stehen, exakt in der linken vorderen Bühnenecke.
Nun erst blickte der Mann uns an, ganz langsam, einen nach dem anderen, Reihe um Reihe, vom ersten vorn bis zum letzten hinten, als wären wir die

aufeinanderfolgenden Buchstaben eines Textes und er des Lesens kaum fähig oder so, als müßte er beim Feuerdezernat der Kriminalpolizei unter hunderten von verkleideten Beamtinnen die eine echte Pyromanin entdecken, die er auch wiedererkennt, jedoch nicht verraten will. Während der Mann mich ansah, zweimal hintereinander jeweils sehr lange, als wäre ich ein besonders undeutlich geschriebenes Doppel-S – vielleicht –, bedauerte ich zunächst, daß ich keine Brille trug, die ich ihm borgen könnte, und verspürte dabei das heftige Verlangen, ihm vorzusagen, was oder wer ich war, aber gerade jetzt wollte es mir einfach nicht einfallen. Den Blick darauf bemächtigte sich meiner das Gefühl, die gesuchte Zündelschwester zu sein, die schon anfing, sich zu fragen, ob sie sich nicht stellen sollte, bloß um den eventuell aufkommenden Verdacht der wissentlichen Nicht- oder Falschaussage von ihm abzuwenden.

Der Mann probierte ein Lächeln. Was er hinkriegte, ähnelte dem alten Schlüpfergummiband an meinem Katapult, wenn ich es gelegentlich noch einmal ohne Krampe, bloß aus Langeweile, zu spannen versuchte: so schmuddlig-weiß und ausgeleiert zogen sich seine Lippen dahin, von einem stumpfen Mundwinkel zum anderen. Als gehöre der Mund nicht zum selben Kopf wie sie, bewegten sich die großen dunklen Augen des Mannes auch weiterhin nur ganz wenig und starrten auf uns nieder, mit diesem nicht deutbaren stoisch-schlafwandlerischen Ausdruck, an den ich mich wohl so genau erinnere, weil ich einem sehr ähnlichen viele Jahre später noch einmal begegnete, im Blick eines anderen Mannes, Momente vor einem seiner Orgasmen oder wenigstens Ejakulationen.

Die unerwartet helle, etwa wie Senfgläser im Spülwasser klingende Stimme dieses weder kräftigen noch schmalen, nicht jungen, nicht alten Mannes holte uns endlich zurück aus dem hypnotischen Blödsinn, den seine Augen mit uns getrieben hatten. »Meine lieben jungen Menschen«, sagte er, »ich heiße Bisalzki. Wir werden, denke ich, eine lehrreiche, aber auch erstaunliche Stunde miteinander verleben.«
Und nun packte Bisalzki erst mal aus: durchsichtige, seltsam geformte, zugestöpselte, mit irgendwelchen Flüssigkeiten – vielleicht auch nur Spiritus – gefüllte Behältnisse, in denen auf die Entfernung kaum identifizierbare, doch nicht unbedingt fischähnliche Etwasse herumschwammen, kleinere und größere Schachteln, auf Stullenbrettchen geleimte Skelette und einen runden Deckelkorb, wobei ihm unentwegt so dünne, schillernde Ausrufe wie »Was haben

wir denn hier!« oder »Ihr werdet schon sehen!« von der Lippe schäumten.

Was uns Bisalzki da an Exponaten auftafelte, ließ mich – wie sich herausstellte, nicht ganz zu Unrecht – vermuten, daß er eine Art Laienzoologe war, ein nach Jahren kontemplativen Hortens nun von Schule zu Schule nomadisierender Vögel-, Reptilien-, Insektensammler und Impressario seines ambulanten Museum-Farm-Unternehmens, denn er führe, gab er uns auf den Korb weisend zu verstehen, nicht ausschließlich konserviertes Getier mit sich herum, sondern auch ein lebendiges.

Während er ihre Inhalte erklärte und wie und wo er sich die zugezogen hatte, ließ Bisalzki versiegelte Reagenz- und Zylindergläser von Hand zu Hand gehen. Leicht angeekelt oder mehr amüsiert, manchmal auch beides zugleich, beäugten wir die von der Konservierungsflüssigkeit abgelutschten, in Sonnen- und Lampenlicht gebleichten, unbeschreiblich leichenhaft aussehenden und doch – wie mundgeblasene böhmische Flaschenteufel oder japanischen Souvenirmuscheln entschlüpfte Seidenpapierdrachen – in ihren flüssigen Gräbern auf- und niedertanzenden exotischen Frösche, Grottenolme, Salamander, Leguane, Schlangen.

Ein »Trüffelstück der Kollektion«, wie Bisalzki sich ausdrückte, werde ich, wenn nicht Alzheimer mich dereinst erlöst, bis ans Ende meiner Tage – also zumindest bis zum Beginn der zweiten Phase des Klimakteriums – nicht vergessen können, noch weniger die enorme physiologische Erregung, die mich, rätselhafterweise gerade angesichts dieses eingemachten Dramas und naturalistischen Exempels tierischer Grausamkeit, erstmals ergriff: In einer wahrscheinlich sehr alten, bauchigen Pulle, mehr auf als unter dem Spiegel dessen, was Bisalzki seine »geheime Speziallösung« nannte, schaukelten zwei kleine, zarte, von schlierig-grauer Plaque überzogene ineinander verbissene Vipern. Bis fast zur Mitte ihrer jeweiligen Gesamtlänge hatte die eine der anderen, die andere der einen Leib von den Maulwinkeln her aufgetrennt und verschlungen. Einander komplett waagerecht zu halbieren, das war ihnen dann aber wohl doch nicht gelungen, und so hatten beide Schlangen ersticken müssen, jede an je einer halben Hälfte der anderen.

Die dem Schlangen-Kampf-und-Tod noch folgenden »Kompott«-Gläserfüllungen konnte ich kaum mehr richtig wahrnehmen, zu sehr beschäftigte mich der Verdacht, daß Bisalzki vielleicht nicht bloß jene beiden Vipern präpariert hatte, sondern auch deren seltsames Ende. – »Kompott«, dies irritierend kulinarische Wort für all die abgetauchten oder ertrunkenen oder in bereits totem Zustand untergegangenen, auf Grund gelegten oder gefluteten, ... ehemaligen Angehörigen aller möglichen Frosch-, Lurch- und Kriechtiergeschlechter, hauchte mir, mit heißem, übelriechendem Atem, meine rechte Platznachbarin, eine immer hungrige Lange aus der Sieben b zu, als ich ihr das letzte Teil dieser Runde, eine Zwei-Liter-Flasche voller medusenhäuptiger rosa-weißer Axolotls, in den Schoß legte.

Nach dem Eingeweckten entdeckelte Bisalzki feierlich viele quadratische Schachteln und machte uns, indem er nun auch diese herumreichen ließ, bekannt mit der reziproken Konservierungsmethode: Die Schachteln beherbergten, hinter Objektträgerglas schön ordentlich neben- und untereinander aufgereiht, die mumifizierten Kadaver von Stab-, Wander-, Gespensterheuschrecken, Blattwanzen, Lauf-, Rosen-, Mai-, Mist-, Hirsch- und Nashornkäfern sowie die der heimischen Tag- oder Nachtfalter. Die »leider nicht vollständige, aber schon recht bedeutende Sammlung tropischer Schmetterlinge und Kerfe«, die er »selbstverständlich ebenfalls« sein »eigen« nenne, habe er nicht mitbringen wollen, die sei »ja wohl doch zu kostbar« für unsere »kleinen krummen Dilettantenpfoten«, meinte Bisalzki, und der Ton, in dem er das sagte, klang nicht wirklich arrogant, sondern eher entschuldigend, enttäuscht vielleicht auch, denn wir zeigten für diesen Teil der Veranstaltung nur mäßiges Interesse.

Trotzdem setzte Bisalzki auf die – im Vergleich zur so ergreifenden ersten – direkt öde Insekten-Nummer aus vermutlich rein dramaturgischen Gründen vor den letzten- und Höhepunkt seiner Show erst noch die nun wirklich todlangweilige, buchstäblich knochentrockene Gebein-Darbietung.

Nunmehr ganz reserviert, ganz befangen in der Pose des verkannten, dafür erst recht unnachgiebigen Forschers, forderte Bisalzki uns auf, vorzutreten an den Bühnenrand. Da genau mußten wir still stehenbleiben, bis er uns, mit Hilfe eines Eßstäbchens, das ihm angeblich ein asiatischer Kollege verehrt, das er aber – viel wahrscheinlicher – vor dem Krieg aus einem China-Lokal entwendet hatte, die ausgekochten, miteinander verdrahteten porösen Kalkstücke eines jeden der insgesamt zweiundzwanzig Vogelskelette einzeln beim lateinischen Namen genannt und zu Ende erklärt hatte.

Die Pausenklingel schrillte bereits zum dritten Mal, die »lehrreiche, aber auch erstaunliche Stunde«, von der Bisalzki gesprochen hatte, war längstens vorbei und die Sonne sowieso aus dem Zenit. Nun glotzte sie durch die dreckigen, riegellosen, vierkantverschlossenen Doppelfensterscheiben direkt auf unsere in immer schrägeren Kurven vornüberhängenden Rückseiten. Wir versuchten auch kaum mehr miteinander zu flüstern, so fertig waren wir. Bisalzki aber, als habe er ein Tonbandgerät verschluckt, dozierte ungerührt weiter.

Seit einer Ewigkeit fragte ich mich, warum dieser Bisalzki nicht ein einziges ausgestopftes, lebensecht gefiedertes und glasäugiges Vieh dabei hatte, wenigstens so was wie die halbwegs einem richtigen Vogel ähnelnde, zerzauste, staubige Grasmücke, die ich mal, anläßlich einer Strafe, die ich mit »Aufräumen/Saubermachen« verbüßen mußte, unter allerlei undefinierbarem Gerümpel in unserem schuleigenen Biologiekabinett gefunden, gestohlen, in einen Baum gesetzt und der Wut der Spatzen überlassen hatte. Aber immerzu bloß Knochen und nun schon wieder die Knochen irgendeiner nächsten ausgestorbenen, ausgerotteten oder mindestens bedrohten Aasgeierart vor Augen, konnte ich mir nichts anderes mehr vorstellen als die armseligen Reste eines Brathühnchens, die ich aussaugte und blank leckte und schließlich nur noch verzweifelt anknurrte, wie der in meinem Bauch gefangene Hunger die leeren Wände meines Magens.

So schicksalhaft hatten wir uns Bisalzkis monotonem Vortrag ergeben, daß wir fast erschraken, als seine um das chinesische Bambusstöckchen gekrampfte Hand endlich niedersank, am rechten Ende der Tafel, neben dem Gerippe des allerletzten Mitglieds dieser wie Ladenhüter im Sonderangebot zwischen Bisalzki und uns aufgepflanzten Bande von Galgenvögeln.

Drei dem linken Ausgang nahestehende Jungs versuchten, der jetzt herrschenden Stille auf unhörbaren Zehen zu entweichen. Ich reckte den Hals und folgte, nur mit den Augen, ihren Bewegungen, die so leicht wirkten, so konzentriert und beherrscht wie die der Leopardendarsteller in einem koreanischen Kinderballettfilm, den ich gesehen und nicht verstanden hatte. Doch schon wich mein Neid auf die drei einer Art Niedergeschlagenheit und Trauer sogar. Ich wußte plötzlich, warum ich nie-, niemals auf den Gedanken kommen konnte, mich – welcher Situation auch immer – durch Flucht zu entziehen: Von allen Seiten hemmte und hinderte mich mein dummer, an nicht vorauskalkulierbaren Anfällen von stark ausgeprägter Kopflosigkeit leidender und dabei mitunter gänzlich außer Kontrolle geratender Körper.

Ob den drei Jungs der schleichende Ausbruch schließlich gelang oder ob sie es bei dem Versuch be-

ließen, ob, außer mir, noch andere »Schülerper-
sönlichkeiten« – auch dies ein echtes Bisalzki-
Wort – ihnen lediglich zusahen oder sogar schon
nachstrebten, habe ich vergessen. Bisalzkis erprob-
ten Kleinwildjägerinstinkten war das indianische
Manöver jedenfalls nicht entgangen. Warum sonst
hätte er, das »O« warnend, ja beschwörend in die
Höhe und Länge ziehend, den Ausruf »Moment
mal!« von sich geben sollen? Als ich mich Bisalzki
daraufhin sofort wieder zuwandte, stand der große
runde Deckelkorb bereits zwischen den beiseite-
geschobenen, offensichtlich endgültig abgehakten
Vogelskeletten.

Noch immer war es ganz still, so still, daß ich meinte,
das Geflecht des Korbes, wohl weil dieser gerade erst
auf die Tischplatte gehoben, also bewegt worden
war, leise, in unregelmäßigen Abständen knistern zu
hören. Dabei schöpfte ich einen Verdacht, der das
spannende Knistern begrub unter einem wahrscheinlich von diesem hervorgerufenen, jedoch ganz
anderen und stärkeren geräuschartigen Geschehen,
das sich in meinen Ohrmuscheln anfühlte wie im
Zirkus der Trommelwirbel unmittelbar vor dem
dreifachen Salto des Trapez-Artisten, wohl aber nur
von meinem heftiger als gewöhnlich klopfenden
Herzen, dem entsprechend kräftig durch die Hals-
schlagader pulsenden Blut herrührte.

Bisalzki nahm den Deckel von dem Korb, ich drückte mich aus dem Stuhl in eine halb stehende Position. Bisalzki legte den Deckel neben seine Füße, richtete sich wieder auf, überblickte, mit dem Kopf kreisend, als wolle er einer Verspannung der Nackenmuskulatur gymnastisch begegnen, die Reihen seines Publikums, versenkte die Arme bis zu den Ellenbogen in dem Korb, ließ sie einen Moment lang dort ruhen und hob beidhändig eine Riesenschlange ans Licht.

Das wie eine horizontal verlaufende Sinuskurve auf Bisalzkis nur wenig gekrümmten Fingern stehende Reptil war, so erklärte Bisalzki, eine etwa dreizehn, vielleicht sogar schon vierzehn Jahre alte, jetzt genau zwei Meter achtundzwanzig lange, aber noch nicht ausgewachsene Amazonas-Anakonda. Ihr ziemlich großer Kopf ähnelte, von der Herzform her und auch in der Farbe, stumpf glänzendem Graphitgrau, einem mit Aluminiumfolie umwickelten ausländischen Schokoladenhohlkörper, den ich meiner Oma zu ihrem diesjährigen Geburtstag geschenkt, den die jedoch nicht einmal gekostet, sondern bei der nächsten Gelegenheit einem dicken Kleinkind aus der Nachbarschaft aufgenötigt hatte, weil sie seit jenem vierten Januar von ihrer Diabetes mellitus-Erkrankung wußte.

Aus dem Kopf der Anakonda wölbte sich, links wie rechts, je ein fast schwarzes, von glasartig durchsichtiger Haut überzogenes kleines, lidloses Auge, und dazu schien es, als grinste sie, denn so weit, bis an die Dellen hinter der Kinnlade, reichte die Kerbe ihres fest geschlossenen Mauls, aus dessen Mitte sich manchmal die einer Adergabelung oder einem Korallenast ähnliche, lange, tief gespaltene dunkelrote Zunge vortastete.

Bisalzkis Schlange war nicht die erste lebendige meines Lebens, ein paar hatte ich bisher schon gesehen; einmal im Wald drei frisch geschlüpfte Ringelnattern, später auch andere Nattern, Ottern, Vipern, Riesen- und Würgschlangen, in den Terrarien des Tropenhauses, das zum Tierpark gehörte, und doch hatte diese hier mit jenen kaum mehr gemeinsam als die Veranlagung zu einem bei den meisten Tierfreunden nicht beliebten Handtaschenmaterial. Sie war frei und gefangen zugleich, ganz real und völlig absurd, wie vielleicht nur eine zahme Amazonas-Anakonda in einer Polytechnischen Oberschule.

Bisalzki zischte dem seinen Lippen entgegenkommenden Schlangenkopf leise, als wolle er einen aufgeregten Säugling beruhigen, etwas zu. Die Anakonda benahm sich aber ganz und gar nicht babyhaft. Vollkommen ruhig, ohne den üblichen animalischen Widerwillen gegen derartige Manipulationen, ja anscheinend mit ihrem Einverständnis, ließ sie sich von Bisalzki zum Kragen machen. Wie sie da, um Bisalzkis Nacken gewunden, von seinen Schultern runterhing, die Schwanzspitze in Herrchens Jackettbrusttasche versteckt, den Kopf aufs Revers geschmiegt, sah sie, trotz ihres glatten, kräftigen Körpers, der sporadisch vorschnellenden Doppelzunge und der starren Perlenaugen irgendwie arg- oder hilflos aus, fast lieb, vielleicht sogar etwas lächerlich.

»Na«, fragte Bisalzki, jetzt mit tief verstellter Stimme, wie der Nikolaus, wenn er rauskriegen will, ob die Kinder sich mehr freuen oder mehr Angst haben, »wer will die Süße denn mal nehmen?« Ein kanonisches »I« in verschiedenen Tonlagen war die Antwort.

Nur ich, ich ganz allein, schrie »Ich!«. Ich machte mir nicht erst die Mühe, mich nach links oder rechts durch die Reihe der verblüfft dasitzenden anderen zu drängeln, sondern kletterte gleich über die Rücklehnen der beiden Stühle vor mir.

Die Arme ausgebreitet, den Kopf vorgereckt, bereit, die Anakonda, wie auch immer, mit den Händen oder dem Hals, entgegenzunehmen, stand ich ihr und Bisalzki gegenüber und sagte, so gebieterisch, als käme niemand außer mir dafür in Betracht, und so flehentlich, als sei ich der Meinung, etwas derart Wunderbares nicht wert zu sein, noch zwei weitere Male »Ich«.

Bisalzki schaute bemüht streng und so ähnlich wie weihevoll auf meinen Scheitel, packte seine Amazonas-Anakonda, stemmte sie, mit einer einzigen geübt fließenden Armbewegung, mühelos in die Höhe. Etwas breitbeinig, doch stolzen Gesichtsausdrucks, stand er da und sah nun gar nicht mehr wie ein Gelehrter aus, sondern wie »Kekimura, der sibirische Entfesselungskünstler«, oder wie der Untermann der »fünf Laokoons« vom Zirkus »Gipsy«, oder wie Georg, der Recke mit dem besiegten Lindwurm, oder wie all diese in einer Person.

Eine – für meine Begriffe viel zu lange – Weile ließ sich Bisalzki von uns bestaunen, aber schließlich gab er seinem Herzen wohl doch den bewußten Stoß, denn er machte jäh einen tigerartigen Satz zu mir hin und legte die Schlange nun endlich pathetisch langsam, als sei sie eine Art Siegerkranz, ab auf meinem ihm demütig entgegengesunkenen Oberkörper.

Wäre die Anakonda tatsächlich tot gewesen wie Georgs Lindwurm, sie wäre mir, bei ihren zwei Metern achtundzwanzig in Schlauchform, bestimmt eine ziemliche Last geworden. Doch es ging ihr, wenn ich bedenke, was wir mit ihr veranstalteten, anscheinend recht gut; tot jedenfalls war sie nicht, obgleich sie sich, wohl weil Bisalzki sie sicherheitshalber vor ihrem Auftritt gefüttert hatte, zunächst kaum bewegte. Ich spürte mit der nackten Haut meines Halses, wie sie atmete, wie sie, unter ihrer kühlen Schuppenpelle, voller Leben war, dem eigenen und vermutlich auch noch dem einer völlig unversehrt verschlungenen, vielleicht schneeweißen Frühstücksratte.

Ob ich ihr einfach zu fremd roch oder ob sie sich langweilte und eine Herausforderung brauchte – wer weiß es? Sicher ist, daß die Schlange anfing sich nach oben zu biegen. Mit der ganzen Kraft ihrer Muskeln, kaum aus anderem bestand sie ja, hob sie ihren geschmeidigen, kompakten Leib ab von meinem und der Schwerkraft entgegen, bis sie fast waagerecht auf den beiden besonders hervorstehenden Wirbeln meines gebeugten Nackens balancierte.

Wirklich, ich war einen Moment lang der Auffassung, dieses Reptil, seiner Gattung nach angeblich ein Kriechtier, könnte stark genug sein, die Gravitation für Sekunden, vielleicht auch Minuten, ganz aufzuheben und über dem Erdboden zu schweben, wie ein Yogi in autohypnotischer Trance, oder sogar noch viel höher hinauf, bis zu den Kugellampen, durch die »Aulen«-Decke, vorbei an den Wolken, der Sonne, dem Mond, raus aus der Atmosphäre, bis es für immer schwerelos im Weltall triebe, als das – nur in ihm geborenen Menschen sichtbare – Sternbild des Tierkreiszeichens Schlange.

Aus dem heiteren Nachthimmel holte uns Bisalzki.

»Jetzt ist es aber genug«, rief er, nun wieder mit seiner üblichen Senfgläser-im-Spülwasser-Stimme. Das Wort »genug« passierte gerade mein sich sträubendes Trommelfell, da krallte Bisalzki auch schon diebesflink nach der Anakonda, kurz bevor die tatsächlich von meinem Kreuz abheben und damit Bisalzkis pseudoakrobatisches Gehabe in ihren langen, schmalen Schatten stellen konnte.

Ich war eher traurig als erleichtert. Bisalzki hatte mich befreit, aber zu früh und vom Falschen. Niedergeschlagenen Blickes, ohne ein Ohr für die allein meiner Person geltenden bewundernden Ausrufe und Pfiffe sogar, wandelte ich, noch ganz betäubt von dem Sturz aus der Gegend über allen Wolken, mit nichts als dem Abdruck einiger Schlangenschuppen auf der Seele, zurück zu meinem Platz in der Mitte der dritten Reihe, vorbei an fünfzehn oder zwanzig Schülerfiguren, die, eine nach der anderen, von ihren Klappsitzen hochfuhren, eigens um mir möglichst kollisionslosen Durchlaß zu gewähren.

Die Lange aus der Sieben b legte mir ihren Arm um den Hals, vielleicht weil sie mir zeigen wollte, daß auch sie mich für eine Heldin hielt, vielleicht weil sie spürte, wie sehr mir etwas fehlte, das vorher dort gelegen hatte. Der Arm der Langen hing schlaff und schwer über meiner Brust, ihre schmale, entspannt nach innen gekrümmte Hand berührte meinen Schoß; ich mochte mich nicht bewegen und fand, wohl auch wegen des Hungers, der sich jetzt zurückmeldete, daß »falsche Schlange« etwas ähnlich Angenehmes sei wie »falscher Hase«* oder »kalter Hund«**.

Bisalzki hielt die Schwanzspitze der spiralförmig sich ringelnden Anakonda zwischen den Fingern seiner rechten Hand und dirigierte die Widerstrebende zurück in das Dunkel des großen Wäschekorbes. »So«, sagte Bisalzki, als er mit einer ganz endgültigen Geste den Korbdeckel über seiner Schlange zuschlug: »Es ist Schluß, aus und vorbei. Wenn ihr jetzt bitte gesittet das Feld räumen wollt. Macht's gut, bis zum nächsten Mal.«

»Welches Feld?« dachte ich, und: »Wann ist nächstes Mal?« Doch schon hörte ich Füße scharren, Stühle knarren, Stöhnen und mehr und lauter werdende Zurufe; das entlassene Publikum rappelte sich auf. Die Lange aus der Sieben b nahm ihren Arm

---

* ein einfaches Hackfleischgericht
** ein Dessert aus Keksen, Kokosfett und Kakao

weg, faßte dafür aber sogleich nach meiner unbetei-
ligt neben der Lehne baumelnden Hand, zerrte mich
daran hoch und dann hinter sich her, wie ein müdes
Vorschulkind sein großes neues Stofftier.

Obwohl wir langsam und ziemlich als Letzte aufge-
brochen waren, hatten wir die offene Tür zum Flur
fast erreicht, da traf mich ein leichter, kurzer Hand-
schlag zwischen den Schulterblättern. Bereit, sofort
loszufluchen, fuhr ich herum. Schon stand ich wieder vor Bisalzki. »Du gehst jetzt schön alleine«, sagte
Bisalzki scharf zu der Langen aus der Sieben b, die
mich auch gleich freigab.
Bisalzki wich einen Schritt zurück und betrachtete
mich von den Füßen aufwärts, wie von Zeit zu Zeit
meine Oma, wenn sie wieder einmal behauptete, ich
wüchse »so schnell wie eine dicke Pappel«. Aber Bisalzki hatte etwas anderes auf der Zunge: »Na, wie
war's?« – »Was?« fragte ich zurück. »Was schon«,
rief Bisalzki, »das mit meiner Anakonda natürlich!«
Ich überlegte, wie Bisalzki, im Zusammenhang mit
der Begegnung zwischen dieser Schlange und mir,
das Wort »natürlich« einfallen konnte, antwortete
jedoch, weil er mich nicht für verlegen oder gar blöde
halten sollte, relativ schnell mit dem Wort »schön«.
»So, schön? Na schön«, sagte darauf, ein wenig ironisch wohl, Bisalzki, und: »Du bist gut in Biolo-

gie?!« – »Eins«, sagte ich schlicht. »So liebst du die
Tiere«, schloß hieraus Bisalzki, als ob es die Botanik,
die womöglich bessere Hälfte dieser Wissenschaft,
gar nicht gäbe. Trotzdem antwortete ich »ja«, aber
dann, ich weiß bis heute nicht, warum, fügte ich noch
hinzu: »Zum Beispiel Fliegen, Ratten, Goldafterraupen«. Nun sah einen Moment lang auch Bisalzki
nicht ganz unverwundert aus. »Gewiß«, meinte er
schließlich, »die Goldafterraupe ist eine wahre
Plage, ergibt häßliche Falter, unbedeutend, völlig
unbedeutend«. »Ich«, sagte ich, »habe nie Gold-
afterlinge gesehen, immer bloß die Raupen.« –
»Nein, Mädchen«, sprach da Bisalzki, »das heißt
nicht Goldafterling. . . . ling gilt einzig für das Prinzip Tagfalter, also den Schmetterling. Dem Kokon
der Goldafterraupe aber entschlüpft ein dämme-
rungsaktiver, am Hinterteil bräunlich gefärbter,
kurzlebiger kleiner Spinner. Übrigens, in natura
habe selbst ich noch keinen Goldafterspinner je erblickt. Doch sag, wenn du dich für Ungeziefer, wie
Fliegen, Ratten, sogar Raupen, erwärmen kannst,
die Anakonda dir keinen Ekel einflößt und das Fach
Biologie vielleicht dein liebstes ist, willst du mich
nicht zum Frühjahr begleiten, in die Baumblüte? Du
dürftest mit mir Kleinsäuger erbeuten, Schmetterlinge jagen, Käfer und sonstige Kerbtiere sammeln,
Nattern aufspüren, an den Ufern der Bäche, zwi-

schen den von der Sonne erhitzten Feldsteinen. Sage mir jetzt deinen Namen, und du sollst erfahren, wann wir aufbrechen.«

»Geht klar«, nuschelte ich gesenkten Kopfes und floh ohne ein weiteres Wort durch die Tür, in den langen bevölkerten Flur. Ich spürte, wie mir die Wangen glühten, in meinen Ohren rauschte es schwindelerregend. Was wollte der Alte? Mich abschleppen, in die Natur, in die Blattwanzen, die Maulwürfe, die Blindschleichen, warum nicht gleich in die Giftpilze? Der wird ein gewaltiges Schmetterlingsnetz über dich werfen, dich in seine Botanisiertrommel sperren, chloroformieren, zurechtfalten und dann: fixieren, anpinnen, durchstechen, festnageln, am kalten Boden einer tiefen, riesengroßen Schachtel.

Dies alles und Ärgeres – ich wußte auch schon, was es in etwa bedeutete – mußte ich denken, während ich den Flur passierte, die Treppen hinunterrannte, den Schulhof überquerte, aus dem Torbogen trat, mich nach rechts wandte und an den Schwanz einer Menschenschlange stellte, die das nahe Ende der mittäglichen Schließzeit des Bäckerladens erwartete.

Ich kaufte zum halben Preis drei »Amerikaner«* vom Vortage, aß zwei unterwegs, setzte mich mit

---

* ein bergförmiges Brandtteig-Gebäck mit Zuckerguß

dem übrigen im nahen Stadtpark unter eine Kastanie und übte Vergessen.

In den folgenden Monaten dachte ich kaum an Bisalzki und seine seltsame Einladung, nur die Amazonas-Anakonda kam mir gelegentlich in den Sinn, richtiger: meine Sinne, die allein, erinnerten sich ihrer. Dann hatte ich, morgens beim Aufwachen oder auch, wenn ich einfach nur gelangweilt irgendwo rumsaß, das Gefühl, die Schlange stünde wieder mit durchgedrücktem Bauch auf meinem Halswirbel und rollte wie ein breiter Reifen, dem ich half, das Gleichgewicht zu halten, kaum merklich hin und her, hin und her... Ich wußte während dieser physischen Halluzinationen, daß ich mir bloß in den Nacken greifen müßte, und schon würden sie vergehen. Aber ich gebrauchte meine Hände nicht, bis es anfing, richtig weh zu tun, oder meine Oma mich bei der Schulter faßte, schüttelte und sagte: »Du bist doch kein Seehund – im Zoo.«

An einem Tag Anfang Mai des folgenden Jahres, ich war inzwischen vierzehn geworden, holte mich die Sekretärin unseres Direktors aus der Deutschstunde. Ich hatte nicht die geringste Ahnung, worum es sich handeln sollte; auch auf dem Weg nach oben, zu den Büroräumen des Schulleiters, fiel mir nichts ein. Wortlos und so gebieterisch eilte die Sekretärin vor mir her, daß ich mich fragte, ob – und wenn ja, wozu – der Direktor persönlich mich wohl vernehmen wollen könnte, aber ich entsann mich keines Vergehens, das schlimm genug gewesen wäre, eine derart außerordentliche Maßnahme zu rechtfertigen. Tatsächlich schob mich die Sekretärin durch die weit offenstehende Tür, bis vor den wuchtigen Schreibtisch, auf dem nichts zu sehen war als eine kleinblättrige Topfpflanze, deren Ranken sich anscheinend schon jahrelang ungehindert damit beschäftigten, von der Stirnseite und dem rechten Vorderbein des Möbels Besitz zu ergreifen.

Der Direktor mußte nahezu lautlos, wahrscheinlich auf Filzsohlen, ins Zimmer gekommen sein. Ich bemerkte ihn erst, als er, ohne mich anzusprechen oder mir von der Seite her einen Blick zuzuwerfen, an mir vorbei hinter seinen Schreibtisch trat.

Vielleicht war mein Oberschulleiter auf der Toilette gewesen, der mit den verschließbaren Türen, nur für Lehrer, vielleicht auch auf einem speziellen Direktorklo, für sich ganz alleine, und – wie auf denen für uns – gab es dort nichts zum Abtrocknen, denn er wischte sich, bevor er Platz nahm, mehrmals mit den Innenflächen seiner gespreizten Hände über die von den Vorderseiten seines offenen blauen Jacketts bedeckte Brust.

Endlich blickte mein Direktor mich an, ungnädignachsichtig, als sei ich eventuell ein Bohnerbesen, den unsere im Alter immer unordentlicher werdende Putzfrau mal wieder vergessen hatte wegzuräumen, und ich wußte, jetzt war ich dran.

»Guten Tag, Herr Direktor«, sprach ich, nur dies. Man hatte als Schüler das erste, das Grußwort, aber darüber hinaus kaum Text, bis zum letzten, dem Abschiedswort.

»Name«, forderte mein Direktor. Ich sagte, wie ich hieß und in welche Klasse ich ging. Die rechte Hand meines Direktors zog die Schublade des Schreibtisches auf, wühlte darin herum, kam wieder raus und warf ein hellbraunes, beschriftetes, frankiertes, gestempeltes, bereits geöffnetes Kuvert auf die polierte Mahagoniplatte. »Habt ihr keinen Briefkasten zuhause?« rief mein Direktor. »Doch«, antwortete ich. »Na dann gib deinen Verehrern mal eure Adresse. Was glaubst du wohl, wo wir hinkommen, wenn alle meine Schüler ihre Post über mich laufen lassen, oder bin ich vielleicht eure Brieftaube?«

Mein Direktor verstummte und schob mir das Kuvert über den Schreibtisch. Ich ließ es besser erst mal liegen und war auch vorsichtig genug, die sehr wahrscheinlich bloß rhetorisch gemeinte Frage meines

Direktors nicht zu beantworten; seinen Blick erwiderte ich schon gar nicht.

»Nun nimm das endlich, und dann marsch, zurück in die Stunde!« befahl mein Direktor.

Ich griff nach dem Umschlag, der tatsächlich, mit einem nicht allzu scharfen Messer oder etwas Ähnlichem, an einer seiner beiden Breitseiten aufgefetzt worden war, steckte ihn, als sei er ein dreckiges Taschentuch, blitzartig unter den Bund meiner Cordhose und wendete mich, das obligatorische »Wiedersehen, Herr Direktor« murmelnd, gegen die noch immer offenstehende Tür.

»Moment mal«, fiel mir da mein Direktor in den zum Abgang gekrümmten Rücken. Es waren dieselben Worte, die auch Bisalzki gesprochen hatte, aber aus dem Mund meines Direktors klangen sie hinterhältig, ja heimtückisch, als spiele er jetzt einen Kommissar, der sein Verhör nur zum Schein schon beendet hatte.

Ich mußte mich wieder umdrehen und wußte, mein Direktor wartete darauf, daß ich meine Verlegenheit überwinden und ihm doch ins Gesicht schauen konnte, dann erst würde er weitersprechen.

Auf einen einzigen Blick von mir, zu dem es bloß kam, weil ich für diesen Moment das Gefühl hatte, eine starke, unsichtbare Hand packe mich beim Schopf und zöge mein Gesicht nach oben, reagierte mein Direktor denn auch wie ein alter Mime auf sein Stichwort oder wie ein Radio auf Knopfdruck. »Wer ist eigentlich dieser Bisalzki?« fragte mein Direktor mit listig um Neutralität bemühter Stimme.

Mehr erstaunt als erschrocken, stand ich einfach stumm da, schräg geneigten Kopfes und mit offenem Schnabel, wie ein Kanarienvogel, dem man gerade sein Badehäuschen ausgetrunken hat. War also Bisalzki der Absender dieses Briefes, der unter meinem Hosenbund allmählich so warm und geschmeidig wurde, daß er kaum noch knisterte? Hatte mein Direktor meinen Brief womöglich gar nicht versehentlich öffnen lassen? Hatte er ihn gelesen, oder stand der Name »Bisalzki« auch auf dem Kuvert?

»Na was ist denn nun?« rief mein Direktor äußerst ungehalten und fing an, mit den Fingern völlig arhythmisch auf der Mahagoniplatte seines Schreibtisches herumzutrommeln.

»Was soll schon sein?« entgegnete ich, patziger als ich gewollt hatte und es mir – wie ich an der zwischen meines Direktors Augenbrauen sogleich steil aufragenden Falte erkannte – überhaupt erlaubt war. Dennoch sprach ich in kaum gemäßigtem Tonfall weiter: »Herr Direktor, daran müssen Sie sich doch erinnern. Der Bisalzki war hier, im letzten Herbst, mit seiner ganzen Sammlung, präparierte Eidechsen, Vogelknochen, Falter und sowas alles. Ich hatte die lebende Riesenschlange auf dem Hals.«

»So ein Quatsch wieder«, sagte mein Direktor trokken, »aber mit vierzehn, fünfzehn spinnt hier jeder irgendwie. Das sind die Wachstumshormone, die sind durcheinander, total in Unordnung.«

Irgendwann, wohl während dieser Worte, hatte mein Direktor aufgehört zu trommeln, seine Hände, beide, waren unter der Schreibtischplatte verschwunden. Etwas zusammengerutscht saß er nun da, atmete merkwürdig laut wie nach einer sportlichen Anstrengung, musterte mich aus geweiteten, jetzt sehr finster wirkenden Pupillen, schaute dann beiseite und gebot: »Geh endlich. Du bist entlassen.«

Als ich mich daraufhin, mit der Hoffnung im Herzen, daß ich diesmal wirklich entweichen dürfte, der Tür zudrehte, stand da die Sekretärin, vielleicht schon eine ganze Weile, denn sie hatte dieses genervte Lächeln zwischen ihren Pausbacken, die sie, noch zwei Grade ungeduldiger, auch gerne mal aufblies.

Die in deiner Klasse da unten, die müssen sicher in der nächsten Stunde irgendeine blöde Arbeit machen, aber dich hat dein Direktor ja gerade entlassen, sagte ich zu mir, als ich langsam die Treppen hinabging. Es war sehr still, und ich ganz allein und frei. Ich spürte, wie ich gleichgültig wurde, oder mutig, oder gleichmütig. Ich hatte den Kopf voll, wollte draußen sein, egal wo, wie, was das war. Später, irgendwann, würde ich zurückkehren, nach Hause, wiederkommen, zur Schule, jetzt nicht.

Unter der Kastanie, in deren Schatten ich schon manchen »Amerikaner« verschlungen hatte, legte ich meine Schuhe ab, zog den Brief hinter dem Hosenbund hervor. Er war tatsächlich von Bisalzki, kurz und aus der Maschine. Nur unsere beiden Namen, meinen oben und seinen unten, hatte Bisalzki handschriftlich zu Papier gebracht. Das Ende des hinteren Bisalzki-I's glitt als lange, gewellte Linie fast über die halbe Breite des Blattes bis an dessen rechten Rand.

Schon nächsten Sonntag wünschte Bisalzki mich zu treffen, morgens um sieben, am Bahnhof von B., nahe den Rieselfeldern. Zehn Minuten würde er warten, länger nie.

Als sei er einer von diesen unter uns Schülern üblicherweise kursierenden, mit schweinischen Denunziationen bekritzelten Zetteln, faltete ich Bisalzkis Schriftstück kassiberklein zusammen. Ich beobachtete meine Finger, deren Nägel die zuletzt entstandenen Kanten des Papierbündels mehrmals scharf nachkniffen.

Das also, diese Einladung im Stil einer Vorladung, im Ton eines Marsch- oder Stellungsbefehls, mit dem Charme einer Nötigung, sollte nun die Plattform abgeben für mein erstes Rendezvous mit einem mannartigen Wesen, einem alten, undurchsichtigen Zausel, der wahrscheinlich auf nichts hörte, bloß auf den Namen Bisalzki, und nur, wenn sein Vater ihn rief, und der war vermutlich schon lange tot.

Ich hatte keine Ahnung, was ich mehr war, enttäuscht oder aufgeregt; aufgeregt aus Ärger oder weil ich hoffte, Bisalzki habe den Brief vor lauter Verlegenheit, vielleicht auch – mit Rücksicht auf meine Jugend – aus Gründen der Konspiration so beschissen autoritär abgefaßt.

In meiner Hirnschale, über dem Kokelfeuer meiner Phantasie, kochte etwas, von dem ich bloß wußte, daß es mir nicht schmeckte, ganz gleich mit welchen Gewürzen ich versuchte, es doch noch genießbar zu machen.

Ich wollte, wie meistens, wenn ich ratlos war, den Anlaß dieses so schwer erträglichen Zustands, in dem Fall Bisalzkis Brief, erst mal einfach an einen Ort verlegen, der schon viele Zeugnisse unauflöslicher Schwierigkeiten beherbergte: meine Schulmappe. Es dauerte eine Weile, bis mir einfiel, wo ich die gelassen hatte, und erstaunt stellte ich fest, daß mich keinerlei Panik ergriff, ja, daß es mir egal war, ob die Mappe morgen noch neben meinem Platz in der Mittelreihe unseres Klassenzimmers liegen würde oder nicht.

Ich rappelte mich hoch, steckte das schmuddlige Päckchen, das ich aus Bisalzkis Brief gemacht hatte, zurück in das Kuvert und dieses wieder unter den Bund meiner Hose, die sich hinten klamm anfühlte. Mein Arsch war eiskalt geworden und genauso ge-fühllos wie meine Füße, denen meine ebenfalls feuchten, aber wenigstens warm gebliebenen Hände das taunasse, verquollene Paar Schuhe überhelfen mußten.

Die wenigen nicht zerschmissenen Laternen brann-ten bereits, ich tastete mich entlang an den Häusern, deren Rauhputzwände merkwürdigerweise die glei-che Temperatur hatten wie die Spitzen meiner Fin-ger, bis zur Ecke der Straße, in der die Eltern wohn-ten, mit meiner Oma und mir.

Meine Oma saß in unser beider Schlafzimmer auf meinem Bett, hatte kein Licht an, hörte »Madame Butterfly« und trank dazu Diabetiker-Eierlikör. Ich rieb meinen Kopf gegen ihre runde, von einer grob gestrickten Jacke verhüllte Schulter und fragte, ob sie bis Sonntag vielleicht das Kleid aus dem landkartengemusterten Perlon fertiggenäht haben könnte. Wie immer bei Musik und Schnaps, heulte meine Oma leise. Mit ihrer schrumplig-zarten, feuchten Wange meine Stirn streifend, nickte sie knapp und schüttelte mich ab.

Das »Ja« meiner Oma hatte entschieden. In dem neuen Perlonfummel würde ich hingehen, zu dem Treffen mit Bisalzki.

Die S-Bahn pendelte, wie an Nichtwochentagen meistens, auch an diesem Maisonntag. Trotzdem war ich schon fünfzehn Minuten vor sieben Uhr und vor Bisalzki am Bahnhof von B.

Die Sonne schien, doch sie wärmte noch nicht sehr. Die Stall- und Gartengerüche, die von den Rieselfeldern herüberwehten, mischten sich mit denen, die aus meinen Achselhöhlen krochen: »Steckenpferd«-Seife und frischer Schweiß. Ich schaute mir in den Ausschnitt und konzentrierte mich auf die Schläge meines Herzens; sie waren heftig, aber regelmäßig, und obgleich ich schon damals der Auffassung war, daß nur mein – nicht einmal besonders tiefes – Atmen sie bewegte, glaubte ich beobachten zu können, wie mein Herz die mittlere Region meiner linken

Brust rhythmisch anhob und wieder fallen ließ. Ich empfand dieses Herz als ein mördermuschelartig starkes, kompaktes, ziemlich mechanisches Etwas, das nur in mir leben konnte und doch ganz selbständig war.

Erst als eine eilige, kleine weibliche Person mich mit ihrer Schulter aus dem Weg stieß, blickte ich wieder auf und hinter mich in die Bahnhofshalle. Da stand Bisalzki, der erwartete, daß ich zu ihm käme.

Bisalzki hatte eine weich aussehende braune Ledermütze auf, den Schirm seitlich über das rechte Ohr gezogen, aus seiner knopflosen wollenen Jacke bogen sich die verknickten Kragenspitzen eines ungebügelten hellgelben Oberhemds, das fast bis zum Solarplexus offenstand und etwas Fellartiges teilweise entblößte. Im ersten Moment meinte ich, Bisalzki trüge, unter Jacke und Hemd, direkt an der nackten Haut, ein Tier mit sich, ein Meerschweinchen vielleicht, oder eine junge schwarze Katze, aber es war nur sein eigenes allerdings arg pelziges Körperhaar.

Bisalzkis sonstige Klamotten sahen etwa so aus, wie ich es erwartet hatte: Unterhalb der knickerbockerförmigen, beigebraun karierten, daher halbwegs englisch anmutenden und möglicherweise besser mit dem Wort »Beinkleider« zu bezeichnenden

Hosen umhüllten förstergrüne Kniestrümpfe seine kräftigen Waden und die großen Füße, die in rohledernen Flechtsandalen steckten. Schräg über Bisalzkis Leib liefen zwei Riemen; an dem kürzeren hing ein Feldstecher, am längeren eine verbeulte Botanisiertrommel aus Aluminium, die einem Soldateneßgeschirr oder einem Fabrikarbeiterhenkelmann ähnelte, und genauso schepperte sie auch, jetzt, da Bisalzki mir endlich mal ein paar Schritte entgegenkam.

Knapp vor mir stoppte Bisalzki, klemmte den rechten Oberarm an den Rumpf und klappte gleichzeitig den dazugehörigen Unterarm in die Horizontale, so daß die etwas durchgebogenen, wie Würstchen in der Klarsichtfolien-Vakuum-Verpackung zusammengepreßten fünf Finger seiner Grußhand gerade zwischen meine Brüste wiesen.

Ich ergriff Bisalzkis Hand – wegen des geringen Spielraums nicht besonders glücklich – von unten nach innen und drückte sie, was Bisalzki offenbar überraschte, denn seine Hand erwiderte diese Berührung erst, als meine Hand sich der seinen schon wieder entzog.

»Na dann«, sagte, nach einer kurzen Verlegenheitspause, Bisalzki; es sollte aufgeräumt klingen, geriet ihm aber so tonlos-zaghaft, als habe er nicht die geringste Ahnung, was er hier in dieser sich endlos vor

uns hinstreckenden Busch-, Feld- und Jaucherinn-
sale-Landschaft mit mir anfangen sollte.

Da ich nichts entgegnete, schlug Bisalzki wie zufällig
eine Richtung ein. Ich folgte ihm und paßte genau
auf, daß ich nicht zu langsam wurde, ihn aber auch
keinesfalls überholte, denn ich wollte sein Gesicht
wenigstens von der Seite her im Auge behalten.

Eine ganze Weile, vielleicht zwei Stunden lang, liefen wir, ohne noch ein Wort zu wechseln, wie
Fremde diagonal neben- oder hintereinander her.

Ich sah eigentlich nur Bisalzki; wie der da so drauf-
losschritt, die langen Beine von sich werfend, in den
Knien federnd, doch die Füße ganz behutsam aufset-
zend, als habe er unter ihnen keinen sicheren Grund,
die Handflächen über dem Hintern zu einem Zelt
gegeneinandergefaltet, tief gebeugten, mechanisch
nickenden Kopfes, erinnerte er mich mal an ein
aufgezogenes Blechhuhn und mal an ein seinerzeit
populäres Lenin-Bild aus den Monaten des finni-
schen Exils, auf dem Lenin sich bemüht, so auszu-
sehen wie die Fotografie eines berühmten Mannes,
der nachdenkenderweise spazierengeht.

Nicht ein einziges Mal schaute Bisalzki zu mir rüber,
stur hielt er die Augen auf den Weg geheftet; hin und
wieder ging er abrupt in die Hocke, weil etwas, von
dem er wohl nicht für möglich hielt, daß es auch mich

interessieren könnte, seine Aufmerksamkeit erregte. Wenig aufschlußreiche Laute wie »oh«, »ach«, »na nu«, … ausstoßend, riß er diese Etwasse ab oder pickte sie mit den Fingern vom Erdboden und verstaute sie, ganz gleich, ob sie nun tierischer, pflanzlicher oder vielleicht gar keiner Natur waren, in dem Aluminiumblechtopf. Bei diesen eher seltenen Gelegenheiten versuchte ich mir aus purer Langeweile einzubilden, ich sei einem von seinen Leuten verbannten, vor Hunger wenig wählerischen und schon halb wahnsinnig gewordenen Menschenwesen begegnet, dem ich bei der Nahrungssuche auf keinen Fall helfen durfte, weil es mich dabei entdecken und dann anfallen, töten, auffressen würde. Aber so richtig konnten mich diese Phantasien nicht erregen. Ich wußte ja, daß Bisalzki mich in Wahrheit einfach bloß vergessen hatte. Mein weit ausgeschnittenes Perlonkleid, sowieso ich und das schöne Wetter, alles, was nicht Viech war oder wenigstens Chlorophyll produzierte, blieb diesem Bisalzki völlig gleichgültig – fast die ganze Welt.

Ich bekam Hunger, Durst erst recht, die Füße in den neuen, billigen Schuhen taten mir weh; doch meine Scheu, Bisalzki anzusprechen oder ihn sonstwie darauf hinzuweisen, daß es mich noch gab, wuchs mit den Kilometern, die ich auf seinen Spuren zurücklegte, unbeachtet wie eine moslemische Ehefrau, wie ein streunender Köter, der einen ihm fremden Menschen, egal welchen, manchmal über weite Strecken begleitet, nur so, aus Konvention, aus prägungsbedingter, sogar schlechte Erfahrungen mit dieser zweibeinigen Spezies verdrängender Loyalität, als Versuch einer Maßnahme wider die Einsamkeit.

Was blieb mir übrig – ich beschloß, die Lieblingsdurchhalteparolen meiner Oma einmal ernstzunehmen; also bemühte ich mich, die Zähne zusammenzubeißen und die Ohren steifzuhalten und einfach die Zeit für mich arbeiten zu lassen. Die Ohren standen von alleine, das Knirschen mit den Zähnen tat mir gut, und wenn mir auch unklar war, was und wie die Zeit eigentlich »arbeitet«, so wußte ich doch: wenigstens vergeht sie, selbst die von Bisalzki, sogar für mich.

Meine Augen klebten an Bisalzkis grünen, bei jedem Schritt aus den leise quietschenden Flechtsandalen zurückstoßenden Fersen; mit den Schlägen meines Herzens zählte ich die Sekunden bis zum Ende der Ewigkeit – und wäre Bisalzki beinahe in die Hacken getreten.

Plötzlich stand Bisalzki stramm, hob mit der rechten Hand sein Fernglas vor das Gesicht, vollführte mit dem linken Arm heftige Winkbewegungen, und wie ein verirrter Seefahrer, der überraschend Land sieht, oder zumindest Anzeichen für die mögliche Nähe eines Ufers, brüllte er: »Rosenkäfer, Rosenkäfer, da sind Rosenkäfer!« Mir entfuhr ebenfalls ein Schrei, doch nur ein kurzer, nahezu lautloser, vor Schreck, denn noch im selben Moment nahm die Angst, es könnte nun tatsächlich eine Art Anfall von Sinnesverwirrung über Bisalzki gekommen sein, mir fast den Atem.

Auch ich richtete mich jetzt vollständig auf, schon weil ich das dringende Bedürfnis hatte, die Lungen zu strecken, außerdem wollte ich wissen, was Bisalzki eigentlich zu sehen glaubte.

Wie lange hatte ich den Horizont nicht mehr angeschaut? Er war blau und wolkenlos. Wir befanden uns auf einer kleinen Anhöhe; vor uns, in einer nicht sehr tiefen Mulde, standen dicht beieinander viele etwa gleich große blühende Apfelbäumchen.

»Los«, sagte Bisalzki, kurz ein feldstecherbewehrtes Auge auf mich werfend, »du gehst jetzt schütteln.« »Was«, fragte ich, »was soll ich schütteln?« – »Na die Apfelbäume«, rief Bisalzki. Froh, daß Bisalzki sich meiner erinnert und Verwendung für mich gefunden hatte, stürzte ich sogleich los. In drei Sätzen war ich bei der Plantage, packte das erste beste, höchstens zweieinhalb Meter hohe Obstgehölz mit beiden Händen am Stamm und rüttelte es durch, als sei es ein Mensch, der mir etwas gestehen sollte.

Aus der Krone, dicht über meinem Kopf, rieselten Hunderte von rosa-weißen Blütenblättern. Schön, dachte ich, wie Schnee.

Wohl weil sie nicht blütenblätterzart waren und sich deshalb auch etwas länger an den Staubgefäßen festhalten konnten, bemerkte ich diese seltsamen, eckigrunden, goldgrün glänzenden, irgendwie vollgestopften Lackköfferchen ähnelnden, gar nicht so kleinen Dinger erst, als sie mir, Sekundenbruchteile später, zusammen mit den harmlosen Pflanzenpartikeln, vorne und hinten in den Ausschnitt fielen. Doch sogar jetzt, da ich, den Baum deshalb nicht loslassend, mich selbst schütteln mußte, weil ich, am Busen, an verschiedenen Stellen meines Rückens und um die Taille herum, vielfaches Kribbeln und Beißen verspürte, kam ich nicht auf die Idee, daß diese Erscheinungen, von denen immer mehr aus dem Geäst abstürzten und an denen ich nun auch Beinchen, Fühler, Kieferzangen wahrnahm, genau das waren, was Bisalzki vor wenigen Minuten mit Gebrüll begrüßt hatte, nämlich die Rosenkäfer. – Und noch heute, da ich längst aufgehört habe, der Natur oder gar ihren Wissenschaftlern allzu simple Fragen zu stellen, kostet es mich manchmal schon Überwindung, einfach hinzunehmen, daß Rosenkäfer auf Apfelbäumen vorkommen und Ameisenlöwen weder langmähnige Ameisen sind noch Löwen, die Ameisen fressen, sondern trichterförmige Insektenfallgruben bauende, winzige Netzflüglerlarven. – Daß diese vielfüßigen Lackköfferchen gerade dies eben nicht waren, zumindest das kapierte ich schließlich doch, und der Umstand, daß ich mir deshalb noch lange nicht vorstellen konnte oder wollte, was sie nun statt dessen wirklich waren, machte den Schrecken, den überfallartig mich ergreifenden Ekel wahrscheinlich nicht größer und kleiner auch nicht.

Jedenfalls ließ ich den Baumstamm los, rannte, mir abwechselnd ins Dekolleté und unter den Rock fahrend, ein Stück weit weg von der Plantage. Dann warf ich mich hin, strampelte mit den Beinen und kugelte, wie von Sinnen schrille Schreie ausstoßend, auf dem Erdboden umher.

Ich weiß nicht mehr, wieviel Zeit verging, ehe ich meinen Verstand wieder einigermaßen beisammen hatte, mir meiner Situation, der Tatsache, daß ich nicht alleine war, sowie der wenig damenhaften Verrenkungen, die ich dennoch aufführte, bewußt wurde. Ich glaube, irgendwann war ich so erschöpft, daß ich einfach liegenblieb.

Ich öffnete behutsam ein Auge, sah weiße Fliegen durch die Luft tanzen, oder Sterne, oder Punkte, und dahinter, darüber schimmerte, groß, plan und milchig, wie ein tief hängender Vollmond bei Nebel,

Bisalzkis verschlossenes Gesicht mit den schwarzen, strengen Augen und dem schmalen, zu einem geringschätzigen Lächeln verzogenen Mund.

Möglicherweise stand Bisalzki schon eine ganze Weile so bei mir, den Oberkörper schräg vorgeneigt, die Hände auf dem Rücken verschränkt. Ob der Länge meines Tobsuchtsanfalls, oder wofür er solches Benehmen halten mochte, ungeduldig auf dem Fuße seines Spielbeins wippend, betrachtete er mich distanziert-interessiert, als sei ich vielleicht irgendein gewöhnliches dreckiges Hahnenfußgewächs, aber immerhin im falschen Biotop.

Während ich versuchte, mir zu überlegen, was ich nun tun sollte, wurde mir erst einmal grausam klar, daß Bisalzki meine nackten Beine und den Zwickel meiner Schlüpfer gesehen haben mußte, daß er mich hatte jammern hören, hemmungslos und schrill wie eine in ein Faß voll Maschinenöl gefallene Kanalratte. Ich ballte unwillkürlich die Fäuste; Tränen der Scham, auch der Wut gegen mich selbst quollen mir aus den Augen, die ich nun wieder geschlossen hatte, ganz fest. Am liebsten hätte ich mich mit meinen eigenen Händen sofort begraben, gleich hier, wo ich ohnehin schon lag, in dieser Ackerkrume, die fett und schwarz war, so tiefschwarz, wie ich von nun an auf immer für mich sah.

»Würdest du jetzt bitte aufstehen und deine Kleider ordnen«, hörte ich Bisalzki sagen.

Was half es – ich war weder ganz tot noch richtig lebendig, bloß ansprechbar, und da ich mir vorstellen konnte, daß ich ein derartiges Zombiedasein schon bald unerträglich finden würde, zwang ich mich, durch den Schleier der nicht versiegen wollenden Tränen hindurch, der Realität und damit Bisalzki ins teilnahmslose Auge zu blicken.

Wohl weil er mir zeigen wollte, daß meine derangierte Lage ihn einfach langweilte und daß er nicht gewillt war, seine Aufforderung zu wiederholen, nahm Bisalzki eine Hand hinter dem Rücken hervor, hielt sie mir hin und sagte, seiner dumpf scheppernden Stimme einen betont förmlichen Akzent verleihend, dazu die unpassend kumpelhaften Worte: »Nun komm schon.«

Den mir verbliebenen Rest von Lebensmut fassend, zog ich den Teil Rotz, der mir noch nicht aus der Nase gelaufen war, energisch hoch und ergriff Bisalzkis Hand, die sich kühl und trocken und dabei doch schön weich anfühlte, wie ein welkes Blatt von der großen Zimmerlinde hinter dem Fernsehsessel meiner Oma.

Ich schaute auf die ramponierten Spitzen meiner neuen roten Schuhe, strich mein grasfleckiges, lehmverschmiertes, aber günstigerweise ohnehin buntge-

mustertes Perlonkleid halbwegs glatt, raffte die
blaue Strickjacke über der Brust zusammen, und
weil ich trotzdem noch fror, wickelte ich mich so fest
es ging in meine Arme.

Das gekünstelt und verärgert klingende Räuspern,
das Bisalzki nach ein, zwei Minuten von sich gab,
signalisierte mir: Bisalzki stand unmittelbar vor
mir und wollte irgendwas loswerden.

Doch als ich es jetzt endlich schaffte, wenigstens einmal kurz zu ihm aufzublicken, bemerkte ich, daß
auch Bisalzki Schwierigkeiten hatte, mich anzuse-
hen.

Bisalzkis Gesicht war rot und mit kleinen Schweiß-
perlen bedeckt, er wühlte beidhändig in den tiefen
Taschen seiner Hose. Ich fragte mich, was das nun
wieder bedeuten sollte, da nahm Bisalzki die eine
Hand aus der Tasche, streckte mir eine zerknickte
S-Bahn-Fahrkarte entgegen, räusperte sich noch-
mals und sprach: »Dir ist wohl klar, daß du mich
bitter enttäuscht hast. Die biologische Forschungs-
tätigkeit verlangt Mut, Selbstbeherrschung, Unvor-
eingenommenheit, Umsicht, Ausdauer, Systematik
und Respekt, Respekt vor den Wundern der Natur.
Dies alles, wir haben es eben erlebt, fehlt dir. Du bist
undiszipliniert, unselbständig, unaufmerksam, ich-
bezogen, zuchtlos, zimperlich und wehleidig, kurz
gesagt, für die wissenschaftliche Arbeit in Wald und

Flur ungeeignet. Hier ist ein Fahrausweis. Zum Bahnhof zurück führt der gerade Weg, auf dem wir kamen. Geh jetzt. Ich will dich nie mehr wiedersehen.«

Ich zog die S-Bahn-Fahrkarte aus Bisalzkis spitzen Fingern, drehte mich um und lief los. In meinem Hals schwollen beide Seitenstränge, als reagierten sie allergisch auf etwas Größeres, Lebendiges, mit Kopf und Beinen, das sich nicht runterschlucken lassen wollte. Ich heulte unaufhörlich. Ich spürte meine Füße nicht mehr. Mein Kopf war heiß und hohl wie ein Schmalzgebäck. Ich versuchte, nur noch an das Fünfzig-Pfennig-Stück zu denken, das ich ja nun für die Rückfahrt nicht brauchte, also in zwei Becher Brause investieren konnte, köstliche kalte Zitronenbrause, die ich mir, wenn er geöffnet hatte, schon gleich beim Bahnhofskiosk kaufen und über die ausgetrockneten Schleimhäute meines Mundes, meiner Kehle, meines Magens gießen würde.

Es war an einem Montag nach den Herbstferien. Die Sommereiche, die, wie bislang alle Jahre, auch in dieser Vegetationsperiode nichts als Goldafterraupen hervorgebracht hatte, war am Morgen gefällt, zersägt und vom Schulhof getragen worden. Ich saß neben der Langen aus der Zehn b auf den Treppen zum Heizungskeller, wir aßen die »Amerikaner«, die ich vom Geld der Langen besorgt hatte, und die Lange erklärte mir, daß sie nun doch nicht Abitur machen, sondern Friseuse lernen wolle, Herrenfriseuse, weil sie so schön groß sei und weil es den Männern so gut gefiele, wenn ihnen ein junges Mädchen die Haare wüsche. »Du wirst sehen, ich tue ihnen erst mal ordentlich Shampoo drauf, dann massiere ich ihnen die olle Grübelbirne richtig durch, dann fangen sie an zu schnurren wie die Kater, dann werden sie weich wie Knete, und dann stecken sie mir welche in die Kitteltasche, aber scheineweise, ohne nachzuzählen«, schwärmte die Lange gerade, als die Sekretärin des Direktors, die sich hinterrücks an uns herangepirscht haben mußte, die Lange bei der Schulter faßte und ihr, das Aufheulen der neuen Pausenalarmanlage souverän übertönend, ins Ohr brüllte: »Für Sie ist jetzt Unterricht, da gehen Sie bitte auch hin, aber flott und alleine. Ihre Freundin muß nämlich zum Direktor.«

Mein Direktor saß hinter seinem Schreibtisch, auf dessen polierter Mahagoniplatte sich wieder nur die kleinblättrige Grünpflanze befand, deren Ranken noch immer die Frontseite des Möbels umhäkelten. Doch diesmal hatte ich kaum die Grußformel aufgesagt, da erhob sich mein Direktor doch tatsächlich und gab mir, was über den Schreibtisch hinweg sicher nicht ganz einfach war, sogar die Hand.

»Sachen erlebt man«, sagte mein Direktor grinsend, »Sachen wie im Kino. Da war eben eine Frau hier, die packte unaufgefordert ihre Tasche aus, meinte, sie sei die Sowieso, die Schwester von einem Menschen namens Bisalzki, der in meiner Schule mal aufgetreten, ihr aber plötzlich gestorben sei, und nun müsse sie die Auflagen des Testamentes erfüllen. Sie nannte den Namen einer Schülerin, Ihren Namen, und wollte schon entweichen. Ich fragte, ob es nicht wenigstens noch einen Brief gebe oder sonst eine Erklärung, die der Bisalzki zu seinen Lebzeiten vielleicht mündlich gemacht habe. Nein, antwortete die Frau, nichts dergleichen, nur das, was bereits vor mir stünde. Dann schien die Frau einen Moment nachzudenken, und dann sagte sie, ich möge der Schülerin ausrichten, Bisalzki habe die Anakonda nach Brasilien bringen lassen, zurück an den Amazonas.«

Während der letzten dieser Worte war mein Direktor hinter seinen Schreibtisch abgetaucht. Er kam wieder hoch und schob drei übereinandergestapelte Kisten neben seine Haustierstaude. »Bitte«, rief mein Direktor, mich heranwinkend, »das gehört Ihnen.« Als ich aber nach den Kisten greifen wollte, legte mein Direktor die rechte Hand auf die oberste, nahm das Kinn in die linke Hand, hielt den Kopf zur Seite, schaute mich prüfend an und sagte, jedes Wort betonend: »Bisalzki hat also die Anakonda geschickt, zum Amazonas, nach Brasilien. Ist das vielleicht eine Art Parole?«

Mein Direktor holte tief Luft, ließ seinen rechten Zeigefinger einige Male über den Kisten kreisen und sprach weiter: »Womöglich sind die absurden Biester hier in diesen Schachteln mit irgendwelchen kleinen, geheimen Zetteln gefüllt, wie Pralinees mit Schnaps oder Creme. Was weiß ich? Ich bin ja bloß der Klapperstorch, der Osterhase, der Weihnachtsmann, das Postamt, das Fundbüro, die Pilzberatungsstelle – wenn man mich läßt, auch Schuldirektor. – Nun nehmen Sie das, und verblühen Sie.«

Ich faßte zu, ehe mein Direktor es sich wieder anders überlegen konnte, murmelte die obligatorischen Abschiedsworte und rannte fast davon.

Schon auf den ersten Blick durch den Deckel des obersten Sarges sah ich, was ich da geerbt hatte, nämlich drei Abteilungen eines Massenmausoleums, von einem gewissen Bisalzki, der mich vor zwei Jahren entsetzlich gedemütigt, seiner Schlange aber die Freiheit geschenkt hatte und nun tot war, genau wie diese Käfer, Nashornkäfer, Hirschkäfer, Rosenkäfer, Maikäfer, Mistkäfer, die ich, an meine Brust gedrückt, langsam die Stufen hinabtrug. Wie sie steckte auch er jetzt in einer mit Samt ausgeschlagenen Kiste, nur sicher nicht durchstochen, nicht so kunstgerecht präpariert und unter Glas; denn daß der entseelte Bisalzki einem Schneewittchen oder noch immer Lenin ähneln sollte, konnte ich mir kaum vorstellen, erst recht nicht, daß er vielleicht verbrannt war, bis auf eine den Boden einer Urne gerade bedeckende Handvoll Asche.

Zum Glück begegnete ich auf den Treppen keinem Menschen. Es herrschte längst wieder Unterricht, wohl schon seit mindestens einer viertel Stunde, und obgleich wir gerade mein Lieblingsfach hatten, mochte ich jetzt, mit diesen unverpackten Schachteln, nicht zurück in die Klasse.

Der neue junge Biologielehrer hätte wissen wollen, warum ich zu spät komme, ich hätte antworten müssen, die Zehn a-Bande hätte mir Zettel voller blöder Zeichnungen geschickt, beim nächsten Pausenalarm hätte sie sich von allen Seiten auf mich gestürzt, mir das Erbe entrissen. Eins ihrer Mitglieder, bestimmt der gipsarmige Paske, hätte ganz sicher mindestens eine der Schachteln fallen lassen, ein anderes, wahrscheinlich Tobi, der Träumer, wäre hineingetreten, mit dem runtergelatschten Hartgummiabsatz des fünfunddreißig Zentimeter langen Arbeitsstiefels an

seinem ausgewachsenen linken Fuß, und mindestens zehn meiner Käfer, vielleicht gerade die
schönsten, hätte ich danach nur noch wegschmei-
ßen können.

Ich wollte zu der Kastanie, mich hinsetzen, »Amerikaner« einwerfen, überlegen; doch kaum war die
schmiedeeiserne Schultür hinter mir ins Schloß gera-
stet, da fiel auch schon aus allen Wolken die erste
Milliarde fetter Tropfen eines Platzregens über mich
her. Ich klemmte mir mit bloßen gekreuzten Armen
die Schachteln vor den Bauch, krümmte mich schüt-
zend über sie und rannte durch knöchelhohe blasige
Pfützen so schnell ich konnte nach Hause.
Völlig außer Atem stellte ich die tatsächlich halbwegs trocken gebliebenen Käferkisten vor der Woh-
nungstür ab, ertastete die Paketschnur, die ich mir
um den Hals gebunden hatte, und dann, froh ihn
noch immer nicht verloren zu haben, den Schlüssel,
der körperwarm an meiner Brust klebte.

Das erste Mal in meinem Leben hatte man mich für
mehrere Tage allein gelassen; die Mutter befand sich
auf einer Dienstreise, der Vater bei seiner Mutter und
meine Oma seit heute morgen in einer Klinik, wo ihr
der von der Diabetes ruinierte linke große Zeh am-
putiert werden sollte.

Ich hatte diese Freiheit des Alleinseins kaum erwarten können, mir ausgemalt, was ich alles tun, wen ich einladen, wie ich stundenlang in der Wanne oder vor dem Fernseher sitzen würde, aber ich fühlte mich nicht frei, bloß einsam, verlassen, hungrig und naß.

Ich knöpfte mein triefendes Kleid auf, ließ es samt dem Schlüpfer zu Boden gleiten, stellte mich vor den Flurspiegel, betrachtete meinen wie aus einem Stück Käse gekneteten, sehr weißen und blau geäderten, nur auf den Armen noch gänsehäutigen Körper, zog mir dann ein altes, langes Nachthemd über, das meine Oma einst für ihre Tochter genäht hatte, in das die jedoch schon seit der Schwangerschaft mit mir nicht mehr reinpaßte, holte aus der Küche kalten Tee und eine fast widerlich dick belegte Wurstschrippe, die meine Oma mir nebst einem Zettel voller Verhaltensanweisungen hinterlassen hatte, wickelte mir meine Bettdecke um den Leib, hockte mich aufs Sofa, wo ich apathisch aus dem Fenster starrend sitzen blieb, bis die Nacht kam, wenigstens die.

Die vielen gleichzeitig erglimmenden Straßenlaternenlichter weckten mich wie der Mondschein die Igel. Ich aß die Schrippe, trank den nach Heu schmeckenden Tee, holte mir die Käferkisten nebst Brehmscher Fachliteratur, versuchte, lesend oder Details der Präparate betrachtend, jeden weiteren Gedanken an den gestorbenen Bisalzki oder meine kranke Oma zu unterdrücken, und rutschte doch bloß tiefer ins bodenlose Loch der schwarzen Schwermut.

Irgendwann fiel mein unkonzentriert umherschweifender Blick auf den Plattenspieler: »Madame Butterfly« lag noch da, war wahrscheinlich, seit meine Oma sie angeschafft hatte, nicht mehr in ihrem Cover gewesen. Ich beschloß, diese Musik jetzt nicht hören zu wollen, gar keine Töne, aber ich stellte mir meine Oma vor, wie sie heulend den Arien lauschte und sich aus dem kleinen polnischen Stamper, ihrem »Kelischek«, etliche »garantiert ungezuckerte« Eierliköre genehmigte. Das kobaltblaue Gläschen lachte poliert von der Vitrine, doch den Eierlikör pflegte meine Oma zu verstecken, vor sich selber, »bis Ostern«, wie sie gelegentlich erklärte.

Nach etwa einstündigem Suchen hatte ich drei Flaschen aufgespürt; zwei halbe mit Eierlikör, die eine hinter der Nähmaschine, die andere im Wäschefach des Kleiderschrankes, und eine zu drei Vierteln leer getrunkene große Weinbrandflasche zwischen der unerledigten Plättwäsche. Schon möglich, daß meine Oma noch weitere Depots angelegt hatte, um die konnte ich mich später oder morgen kümmern, erst mal hielt ich reichlich einen Liter Schnaps in zwei Sorten für mehr als genug.

Ohne zu ahnen, daß sich die alkoholisierende Wirkung des Getränks deshalb mindestens verdoppeln würde, rührte ich, eigentlich nur um ihn überhaupt runterzukriegen, löffelweise Rübensirup an den Diabetiker-Eierlikör, fügte spaßeshalber etwas Zitronenaroma hinzu und trank das Ganze, weil ich nicht auch noch Omas »Kelischek« entweihen wollte, als Cocktail aus einem Souvenir in Gestalt einer mit dem Abziehbild einer Brockenhexe verzierten Champagnerschale, die ich meiner Oma vor drei Jahren geschenkt hatte.

Beim zweiten Cocktail stieg wie eine Sumpfgasblase aus dem schon der Fäulnis des Vergessens anheimgefallenen Teil meiner Schulbildung die siebente Strophe des Schiller-Gedichtes »An die Freude« in mir auf, und ich ließ sie zu meinem Mund heraus: »Freude sprudelt in Pokalen;/ In der Traube gold'nem Blut/ Trinken Sanftmut Kannibalen,/ Die Verzweiflung Heldenmut – / Brüder fliegt von euren Sitzen, / Wenn der volle Römer kreist, / Laßt den Schaum zum Himmel spritzen: / Dieses Glas dem guten Geist«, sang ich laut und jedes Wort betonend und fand, daß der Text stark und schweinisch sei, selbst wenn man gelernt hatte, sich unter einem »vollen Römer« auch ein üblicherweise Wein enthaltendes Trinkgefäß vorstellen zu können.

Schließlich, noch zwei, drei Cocktails später, war ich

wohl einigermaßen berauscht. Ich hörte auf zu singen, weil ich meine Stimme nicht mehr hören mochte, dachte aber auch nicht wieder an Bisalzki oder daran, daß meine jetzt sicher schon zeh-amputierte Oma vorhin vergeblich meinen Besuch erwartet hatte, sondern an mich, an meine so unnütze, trostlose, entsetzliche Einsamkeit, und dann an meinen jungen, schönen Biologielehrer, den ich heute absichtlich nicht gesehen hatte, bloß wegen Bisalzkis saublöden, stinklangweiligen Scheißkäfern.

Genau an dieser Stelle trunkenen Herumgrübelns befiel mich nun das, was ich viereinhalb Tage lang für eine Eingebung, eine große Idee halten sollte.

Von allen bösen Geistern schlagartig verlassen, sprang ich auf, suchte Schraubendreher, Taschenmesser, die Barthaar-Entfernungs-Pinzette der Mutter, «Duosan Rapid-Minutenkleber», Dachshaarpinsel, Verdünnung sowie sechs Tuben Künstlermalfarbe zusammen und machte mich ans Werk.

So behutsam, als mein Zustand es mir erlaubte, löste ich mit dem ganz schmalen Schraubendreher, dem Madenzieher, wie der elektrotechnisch versierte Vater dies Gerät nannte, die Deckel von den Kisten, zog die Käferleichen samt der Nadeln und der winzig klein beschrifteten Pappschildchen unter ihren Bäuchen aus dem billardgrün beschichteten Korkboden, legte sie alle auf die Platte des eigens herbeigerückten

Clubtischchens, das bald dem Trockendock einer Reparaturwerft voller plumpleibiger, ziemlich abgetakelter Kutter mit Glaskugeln an den schiefen Masten ähnelte, und ersann neue Modelle, von denen ich aber, ehe ich tatsächlich begann, die alten in anders kombinierbare Teile zu zerlegen, vorsichtshalber erst einmal Bleistiftskizzen anfertigte.

Außergewöhnlich, sehr bemerkenswert, hochinteressant, doch keineswegs grob getürkt sollten meine Schöpfungen aussehen, günstigstenfalls wie bislang in solchen Variationen unbeobachtete, unter rätselhaften, noch nicht erforschten Umständen mutierte Exemplare im Prinzip bekannter Gattungen.

... und dann wollte ich, die Kiste mit den gelungensten Kreationen wie ein kostbares Kleinod zwischen den Fingerspitzen haltend, meinen Biologielehrer am Ende seiner Stunde hinter der Tür erwarten. Ich würde nicht so blöd sein, zu behaupten, ich selbst habe die Käfer alle eingefangen und präpariert. Nein, ich würde vor dem erregt meine Schulter umfassenden Mann verlegen die Augen niederschlagen, etwas wie »Geheimnis, weiß nicht, Sie sind der Akademiker, darf ich das in Ihre Hände legen«, flüstern, zart den Kopf abwenden und leichten Fußes davonschweben. »So können Sie doch nicht gehen. Ahnen Sie überhaupt, Sie argloses, vertrauensseliges Mädchen, was dies hier für die Wissenschaft bedeutet?!« würde mein sonst so beherrschter Lehrer ausrufen und versuchen, mich aufzuhalten, wenigstens mit einer Hand, denn mit der anderen mußte er ja die Käfer an sein Herz pressen. Aber ich würde kein Wort mehr sagen, bloß einmal noch, meinen lockigen Schopf zurückwerfend, ihn ansehen, ernst und unergründlich.

Ich nahm das Taschenmesser und trennte zuerst die Nashornkäferköpfe von den Nashornkäferrümpfen, dann teilte ich in gleicher Weise die Hirschkäfer, danach die Mai-, die Rosen- und die Mistkäfer; bis ich schließlich vor einem Haufen Köpfe, einem Haufen Leiber, einem Haufen Präpariernadeln und einem Haufen Pappschildchen saß.
Nun war ich müde, betrunken ohnehin. Gerne hätte ich trotzdem weitergebastelt, aber da ich wußte, daß die nächste Etappe, die der Montage, äußerste Sorgfalt verlangte, ließ ich für heute alles sein, rollte mich auf dem Sofa zusammen und schlief auch gleich ein.

Am nächsten Tag erwachte ich mit schweren Gliedern, kalten Füßen und einem heißen Kopf. Mein Blick ging sofort zu dem Couchtisch, stieß gegen die ausgetrunkene Eierlikörflasche, die mir, wegen der weißlichen Rückstände ihres einstigen Inhalts, genauso undurchsichtig vorkam wie die volle daneben, und fiel dann auf das wohlsortierte Gemetzel, das keine andere als ich dort angerichtet haben konnte. Nicht ohne eine Spur von Reue erinnerte ich mich jetzt des ganzen vergangenen Abends.

Ich beschloß, nicht zur Schule, sondern ins Badewasser zu gehen und danach an den Käfern weiterzuarbeiten, bis es spät genug sein würde für den längst fälligen Krankenbesuch bei meiner armen Oma.

Ich hatte vorgehabt, den größten Käfern, nämlich den Nashorn- und den Hirschkäfern, auch die Beine zu entfernen und diese an die gegeneinander ausgetauschten Rümpfe neu anzukleben, doch das erwies sich schon im ersten Versuch als allzu schwierig: Der Hirschkäferkörper-Rosenkäferkopf-Mutant sah mit den vergleichsweise riesigen, krakelig gespreizten, verdrehten, zerknautschten und klebstoffbeschmadderten Nashornkäferbeinen, die ich ihm, die Pinzette zu Hilfe nehmend, endlich irgendwie unter den Bauch gefummelt hatte, wenig überzeugend aus; selbst die gelben Kartoffelkäferstreifen, die ich – nur mal so probehalber – zusätzlich auf seine Flügeldeckel pinselte, konnten daran nichts mehr ändern.

Von nun an ging ich bescheidener vor und, soweit ich dazu fähig war, auch sensibler. So gab ich den

doch ziemlich autonom und mit Teilen anderer Käfer unharmonisch wirkenden Nashornkäfermänn-
chenrümpfen ihre eigenen Köpfe zurück und be-
schränkte mich auf dezente farbliche Veränderun-
gen wie transparente Ganzkörpernagellackglasuren
in Perlmutt, Kirschrot, Violett; die Beine ließ ich
allesamt, wo sie waren. Bei den vier übrigen Hirschkäfern verband ich lediglich die zwei Weibchen-
köpfe mit den beiden Männchenleibern und umge-
kehrt; auch einen grüngoldenen Rosenkäferkopf am
orange gepunkteten Maikäferkorpus fand ich recht
gelungen. Am meisten schöpferischen Freiraum bo-
ten mir die von der Natur eher schlicht ausgestatte-
ten, aber wohlgerundeten Mistkäfer; auf dem tief-
blauen Grundton ihrer glatten Flügeldecken kamen
meine bunten Muster besonders gut zur Geltung.

Wie ich das heute sehe, ähnelten die umgefärbten
Nashornkäfer und die in Zwitter verwandelten
Hirschkäfer am Ende meiner Bemühungen irgendwie auf dem Kriegspfad gebliebenen Indianern und
die Mai-, Rosen-, Mistkäfermischlinge erzgebirgi-
schem Weihnachtsbaumbehang, doch damals hielt
ich zumindest einige dieser Geschöpfe für wunder-
voll und hochpräsentabel.

Ich steckte meine Käfer, die alten Einstichstellen
benutzend aber ohne die nicht mehr zutreffenden
Pappschildchen, zurück in die Schachteln, legte die

Glasscheiben drüber und umwickelte die nun wieder geschlossenen Särge an den Kanten ordentlich mit schwarzem Isolierband.

Meiner Oma ging es schon besser, trotzdem mußte sie noch drei Tage zur Beobachtung im Krankenhaus bleiben, auch die Eltern erwartete ich nicht vor Montag zurück, so hatte ich das gesamte Wochenende für mich alleine. Ich wußte bloß nicht, was ich mit all dieser Zeit anfangen könnte; die Nächte wurden bereits länger, und die Käfer waren fertig. Überhaupt sollte es ganz schnell Dienstag sein, denn Dienstag stand Biologie auf dem Stundenplan.

»Einen Augenblick bitte, ich hätte da was für Sie«, sagte ich leise zu meinem Biologielehrer und streckte ihm die schwarze Kiste entgegen, die ich erst im letzten Moment, erst als die anderen Schüler alle abgehauen waren, aus der Plastiktragetasche gezogen hatte. Streng, irritiert, vielleicht auch etwas unwillig, blickte mein Biologielehrer zunächst mich, dann die Kiste an. »Was ist das, was soll ich damit? Muß das jetzt sein?« bellte mein Biologielehrer, der mir schon während seiner Stunde verdammt schlecht gelaunt vorgekommen war. Achtlos schob er sich die Kiste ausgewählter Käfer unter den Arm und mich zur Seite und enteilte – mit komisch engen Tippelschritten, wie jemand, der dringend aufs Klo muß – in Richtung Treppenhaus.

»Es ist was ganz Schönes«, rief ich meinem Biologielehrer ziemlich mutlos hinterher, aber das konnte er wahrscheinlich schon nicht mehr hören.

Na gut, dachte ich, der war einfach fertig heute, hatte auch seine Brille nicht auf, staunt er eben später.

Ich glaubte fest daran, daß mein Biologielehrer wenigstens während der großen Pause zu mir kommen würde, und baute mich, weil er mir direkt in die Arme laufen sollte, wie eine Schranke mitten im Durchgang zum Schulhof auf, aber ich wartete vergeblich, auch vor dem Lehrerzimmer, eine halbe Stunde nach Unterrichtsschluß.

Er sah ja wirklich schlecht aus, direkt fürchterlich; vielleicht hat er Zahnschmerzen oder Migräne, versuchte ich mich abends beim Einschlafen zu trösten. Mittwoch, das wußte ich, war mein Biologielehrer nie in der Schule, und erst Donnerstag hatten wir wieder Biologie, als letztes Fach.

Schon fünf Minuten bevor das Alarmzeichen ertönen sollte, saß ich in meiner Bank und starrte zur Tür. Mir war ganz elend vom tagelangen Lampenfieber. Gleich würde er hereinkommen, mein Biologielehrer, mir vielleicht einen kurzen, konspirativen Blick zuwerfen, dann schlau reden, über Meeressäu-

73

getiere, denn die standen für heute auf dem Plan. Ich würde mich melden und wie immer alles wissen, und dann, wenn die anderen schon mit angehobenen Pobacken aus den Startlöchern ragten, würde mein Biologielehrer sagen: »So, Schluß jetzt, aber Sie da, Fensterreihe dritter Platz links, Sie bleiben bitte noch einen Moment hier.« Und das Heulen der Pausensirene würde die ganze Klasse auf- und davonjagen, und wir beide, mein Biologielehrer und ich, wären endlich allein.

Mit dem ersten Ton des Stundenzeichens, das mich erschreckte, obwohl ich es ja dringend erwartet hatte, tauchte mein Biologielehrer im Türrahmen auf. Rechts neben dem Kopf meines Biologielehrers, so, daß ich einen Moment lang den Eindruck hatte, er habe plötzlich zwei davon, befand sich ein weiterer Kopf, der meines Direktors. Dicht vor der Tafel blieb mein Biologielehrer stehen, und mein Direktor trat hinter ihm hervor, ihm zur Seite.

Die Augen meines Biologielehrers mußten meine Augen nicht erst suchen; sie waren noch dabei, unter dreißig größtenteils desinteressiert oder verlegen weggedrehten Gesichtern meins zu ermitteln, da klebte mein Blick längst an meines Biologielehrers funkelnden Brillengläsern.

Ruckartig, wie auf ein Kommando, straffte sich mein sonst eher weiche, ziemlich erschöpft wirkende

Körperhaltungen vorführender Biologielehrer, ver-
übte eine knappe, hackende Kopfbewegung in
meine Richtung und hob langsam seinen rechten
Arm über den Lehrertisch, den Handrücken nach
unten gedreht, den aus der Faust lugenden Zeigefinger gekrümmt, als hielte dieser Finger die Schlaufe
eines unsichtbaren Fadens, an dem er mich hoch-
und zu sich heranzöge.

»Sie da, erheben Sie sich bitte«, sagte mein Biologielehrer. Die Worte trafen das linke meiner heißen Ohren hart wie ein steingefüllter Schneeball. Ich sah
keine Möglichkeit mehr, noch immer zu bezweifeln,
daß dieser außergewöhnliche und unheilverkün-
dend mit der Person meines Direktors garnierte Ein-
marsch meines Biologielehrers in seine Unterrichts-
stunde womöglich eine Reaktion auf die Käferkiste
war. Niedergeschlagen, einschließlich der Augen,
wand ich mich aus der Bank.

»Bevor ich Ihnen das hier zurückgebe, habe ich
Ihnen, und nicht nur Ihnen, einiges zu sagen. Sie sind
gemeint, schauen Sie bitte her!« hörte ich meinen
Biologielehrer rufen. Auch diesem Befehl leistete ich
widerwillig Folge, und richtig, da stand mein Biologielehrer, etwas breitbeinig jetzt, und hielt in seinen
nach oben gestreckten Händen mein schönes Ge-
schenk.

»Gewiß, verehrte junge Menschen«, sprach mein

Biologielehrer in einem weniger ironischen als un-
verschämten Tonfall, »für Sie, die Sie alle miteinander bislang nicht gerade durch übermäßig präzise
Kenntnisse auf meinem Fachgebiet geglänzt haben,
mögen diese toten Wesen zunächst nur wie präparierte Kerbtiere aussehen, aber das sind sie nicht, o
nein. Diese Machwerke aus Käferteilen, Kleister,
Farbe und kranker Phantasie sind auch nicht einfach
Produkte eines keineswegs harmlosen Hangs zur
Scharlatanerie, sondern der auf meine Gutgläubig-
keit spekulierende, abartigen Dilettantismus offen-
barende Betrugsversuch einer einzelnen Schülerin.
Jawohl, diese Schachtel voll krummer und schiefer
und bunter Kreaturen, die Sie sich nachher gerne mal
genauer anschauen dürfen, ist, ich muß das aus Ge-
wissensgründen so scharf formulieren, ein Verrat an
der Wissenschaft, begangen von der da.«
Mein Biologielehrer ließ die Kiste sinken, hob wieder aufreizend langsam den rechten Arm und zielte
mit dem diesmal ausgestreckten, stramm durchgebogenen Zeigefinger auf mein Herz.
»So, meine Dame«, sagte mein Biologielehrer, »jetzt
können Sie versuchen, uns eine Lüge aufzutischen,
sich zu rechtfertigen, oder, und das wäre wohl das
Klügste in Ihrer Situation, sich zu entschuldigen. –
Na, was ist? Äußern Sie sich!«
Meine Stirn brannte wie unter der Sonne Afrikas, aus

meinen Ohren, hatte ich das Gefühl, stieg schon Rauch auf. Obwohl ich kaum noch etwas sah, unterdrückte ich das Bedürfnis, zu blinzeln, weil ich, solange es ging, verhindern wollte, daß mir ein Satz fetter Tränen aus den überrandvollen Augenhöhlen schwappte und, die heiße Haut kitzelnd, die Wangen hinunterlief, bis ich dem Zwang erliegen würde, mir dieses Feuchte, Klebrige, Eklige, mich jedes Mal wieder an Schneckenspuren Erinnernde mit den Handrücken vom Gesicht wischen zu müssen. Ich konnte an nichts anderes denken als daran, daß ich keinesfalls weinen durfte. Ich atmete flach wie ein Tiger beim Beute-Anschleichen, verlor jegliches Zeitgefühl und den Boden unter den Füßen.

Im innersten Innen von mir, so tief drinnen, daß ich mich fragte, wie eine solche Tiefe innerhalb des doch sehr begrenzten Volumens meines hundertvierundsechzig Zentimeter hohen und durchschnittlich fünfzig Zentimeter breiten Körpers überhaupt vorkommen konnte, spürte ich etwas, von dem ich bisher nicht einmal gewußt hatte, daß es existierte, vielleicht entstand es ja auch gerade eben erst: Es war nicht groß, gasförmig bis flüssig an der Oberfläche, im Zentrum aber fest und derart erdkugelschwer, vulkanrebellisch, magmaheiß, daß ich, mit zartesten Kontraktionen meiner Eingeweide immer wieder ganz sachte danach tastend, die Vorstellung entwik-

kelte, das sei mein radioaktiver Kern oder ein winzi-
ges, atomar bewaffnetes, möglicherweise auch noch
bemanntes außerirdisches Raumschiff. Und etwas,
wahrscheinlich das in mir drinnen, löste mich aus
meiner konzentrierten Starre, und ich schwamm,
blind in meinen noch unausgebrochenen Tränen,
aber so zielsicher wie ferngesteuert, zum Lehrertisch. Niemand und nichts hielt mich auf, meine
Greifer umfaßten die Käferkiste, das Mittelgelenk
des linken preßte sie fest an meinen Leib, der jetzt
Kurs auf die Tür nahm. Das noch verfügbare meiner
beiden Greifinstrumente, Tentakeln, Fangarme
oder was immer das jetzt war, legte sich eben um die
Klinke, als ich, wie aus weiter Ferne, die Stimme meines Direktors hörte. »Halt, bleiben Sie stehen. Das
wird Folgen haben. Der Tadel ist passé, ich erhöhe auf
strengen Verweis...«, lautete der Teil der Botschaft
meines Direktors, den ich gerade noch empfing, dann
schloß sich die Tür hinter mir, und ich schwamm den
Flur entlang, die Treppen runter, über den Schulhof,
durch den Torbogen, hinaus ins Freie.

Obwohl die Sonne schon ziemlich niedrig stand, war
das Gras unter der Kastanie warm und trocken. Ich
setzte mich hin und überlegte, was nun noch geschehen konnte. Mit Biologie war ich fertig, restlos, für
immer, doch möglicherweise ließen die mich jetzt

nicht einmal mehr das Abitur machen. Ich hatte mich inzwischen so weit beruhigt, daß selbst diese trübe Perspektive mich nicht wirklich aufregte. Würde ich eben Friseuse, wie die Lange aus der Zehn b, aber ganz sicher eine für Damen, sonst käme ich womöglich in die kader- oder personalaktenschädigende Lage, meinem Direktor und meinem Biologielehrer das Kopfwaschen verweigern zu müssen. Ach ja, mein Biologielehrer – immerhin war mir seinetwegen vorhin, auf dem Weg hierher, ein Satz wieder eingefallen, den meine Oma vor Jahren einmal zu ihrer Tochter gesagt hatte: »Wer in einen Hundearsch verliebt ist, der hält eben den für den Mond.« – Nun sah mein Biologielehrer ja nicht gerade wie ein Hundearsch aus, doch vielleicht ein wenig wie eine junge Version des Herren Bisalzki, dessen Gesicht mich damals, nach dem Rosenkäferhagel auf der Apfelbaumwiese, an den Mond erinnert hatte. Ich fragte mich, ob meine Oma mit diesem Satz eigentlich nur zum Ausdruck bringen wollte, was sie von ihrem Schwiegersohn dachte, oder ob sie alle Männer meinte, oder etwa alle Menschen, männliche wie weibliche, oder sogar jedwede Kreatur, auch Tiere und Pflanzen, gleich welchen Geschlechts.

Ich war müde, und das traurige Pathos meiner Grübelei fing an mich zu langweilen. Aber ich wollte den Park noch nicht verlassen, denn ich wußte, das würde ein Abschied für immer. Also legte ich mir die Kiste in den Schoß, nahm einen Zipfel meiner Bluse zur Hand, behauchte die Glasscheibe und putzte sinnlos an ihr herum. Irgendwann ertasteten meine Finger zufällig die Enden der Isolierbandstücke, mit denen ich Deckel- und Sargränder umwickelt hatte; sie ließen sich leicht wieder abziehen. Dann holte ich die Käfer aus der Kiste, befreite sie von den Insekten- nadeln, erhob mich und trug sie so lange umher, bis ich für jeden einzelnen einen schönen Platz auf einem Grashalm oder einem Blatt gefunden hatte.

Als alle Käfer abgesetzt waren, ging ich zurück zu der Kastanie, lehnte mich gegen ihren Stamm, ließ mich, den Überblick verlierend, an ihm runter auf meinen Hintern rutschen und redete mir ein, daß die schrillen Gestalten hier, im Grünen, doch ziemlich natürlich aussähen.

Voller Scheu vor mir, aber neugierig auf das gold- grün glänzende, orange gepunktete Ding, das sie, einen Steinwurf weit von meinen Füßen entfernt, ne- ben einem großen Huflattichblatt erspäht hatte, kam eine Krähe, gelegentlich einen Hüpfer zurückwei- chend, in kleiner werdenden Halbkreisen näher. Als sie sicher war, den rosenkäferköpfigen Maikäfer endlich gerade eben erreichen zu können, bog sie ihren Schnabel nach hinten und stieß ihn gleich darauf blitzartig und so heftig nieder, daß der Mutant an den Klebestellen zerbrach, Erdklümpchen hochspritzten und zwischen den Grashalmen ein kleiner, schwarzer Krater übrig blieb. Die Krähe flatterte weg, kehrte jedoch gleich zurück, pickte noch zwei-, dreimal nach dem nagellackbetupften Käferrumpf, aber schließlich ließ sie ihn liegen, schüttelte ihren Kopf, dann die Schwingen aus dem Gefieder und hob, mit zunächst nicht gerade schnellen, weit greifenden, mich irgendwie an Turnübungen erinnernden Flügelschlägen, vom Boden ab.

Verfrühte Tierliebe – Teil II

Servus

»... Deine Träume, meine Träume
blühn in Deiner Erinnerung,
glühn in meiner Erinnerung...«

(Schlagertext, 70er Jahre)

Die Siebenundvierzig ließ ich wegfahren; ich
rauchte lieber meine Zigarette zu Ende, denn ich
hatte es nicht eilig. Die Zigarette zog schlecht, wohl
weil sie so feucht war. Ihr Geschmack ähnelte dem
von gebackenen Kartoffeln und harmonierte bestens
mit dem Braunkohlebrikettfeuergeruch der Luft.
Ich wollte mir am Rest der alten gerade eine neue Zigarette anzünden, aber da kam schon die nächste
Straßenbahn; und so stieg ich an diesem letzten Mittwoch vor Weihnachten neunzehnhundertzweiund-
siebzig um etwa zwei Stunden verfrüht, also gegen
fünfzehn Uhr, in den Triebwagen der Neunundsechzig, deren achte Haltestelle unmittelbar hinter
dem Eingang des Druckkombinates lag, das mich am
Abend dieses Tages zum Dienst erwartete.

Der Wagen war erstaunlich leer für die Zeit. Ich tappste, die Schlenker der schnell fahrenden Bahn auf dem engen Gang zwischen den beiden Bankreihen einigermaßen geschickt ausbalancierend, auf die hintere Tür zu, neben der schwankend ein Mann halb stand, halb hing, die linke Hand in eine der zum Festhalten an die Decke genieteten Lederschlaufen verkrallt, mit der rechten hin und wieder mühsam eine fast leere Bierflasche zu Munde führend.

Ich setzte mich entgegen der Fahrtrichtung ans Fenster, so daß ich entweder, scheinbar völlig desinteressiert, hinaus- oder dem Mann zusehen konnte.

Der Mann ähnelte auf den ersten Blick meinem damaligen Freund; der wiederum erinnerte mich manchmal, von weitem und bei Regenwetter, an die achtundzwanzig Jahre alte Fotografie eines Soldaten, der behauptete, mein Vater zu sein. Wahrscheinlich hatte der Mann in der Straßenbahn das Licht der Welt etwa fünf Jahre früher erblickt als mein damaliger Freund und mindestens zehn Jahre später als mein erklärter Vater, und schwere Säufer waren sie mit Sicherheit alle drei. Aber nicht das hielt ich für das wirklich Interessante an diesem nun eine Messingstange umarmenden, sein rechtes Ohr gegen das Türglas schmiegenden Mann, dessen Flasche auf den Boden gefallen, ganz geblieben und, ein stinkendes Rinnsal hinterlassend, zwischen meine Füße gerollt war. Das Seltsame das ich schräg geneigten Kopfes und scharf gestellten Blicks ungläubig musterte, das mich beinahe nötigte, aufzustehen, hinzugehen, die Arme auszustrecken, es mit vor Neugier schwitzenden Fingern zu betasten, war die Gesichtshaut dieses Mannes, genauer, deren Beschaffenheit: Außer dem hellen, strähnigen Haar schienen alle sichtbaren Teile des Kopfes, die Stirn, die Schläfen, die Nase, die prallen Wangen, das Kinn, der Hals, sogar die Ohren, gleichmäßig und vollständig mit einer mindestens zwei bis drei Zentimeter dicken, transparenten, jedoch nicht unbedingt glasklaren Substanz beschichtet zu sein, etwas, das nicht wirklich wabblig, aber trotzdem irgendwie glibbrig aussah, ungefähr wie noch nicht ganz erstarrter Aspik über einem gekochten Kalbskopf oder wie die Oberfläche eines Stücks Glyzerinseife, das stundenlang im Wasser gelegen hat.

Dieses Gesicht – genauer, daß ich nicht wußte, was damit los und ob die gallertartige Masse, in der es sich kaum bewegte, möglicherweise das Anzeichen einer Krankheit war, vielleicht der Beginn des märchenhaften Unsichtbarwerdens – machte mir angst. Weil ich die verlieren wollte und immerhin bis achtzehn Uhr Zeit dazu hatte, entstieg ich der Neunundsechzig schon an der vierten Haltestelle, nahe einem großen, zentralen Platz, auf dem die Gartenarbeiter der städtischen Verwaltung auch diesen Winter eine riesige Fichte senkrecht befestigt und in Elektrolichterketten gelegt hatten. Durch die Zweige des Baumes leuchtete die pastellgrün gestrichene Betonfassade eines mehrgeschossigen Warenhauses, das erst vor einem Monat eröffnet hatte. Es war das erste dieser Art in unserer Stadt, und obwohl ich Verkaufsorte nach Möglichkeit mied, beschloß ich, hineinzugehen.

In der Halle herrschte blendendes weiß-violettes Kunstlicht, marktartig und weihnachtlich dekorierte Ladentheken reihten sich halbkreisförmig aneinander, aus mehreren über den gesamten Raum verteilten Lautsprechern drangen, schmerzhaft klirrend bei hohen und bedrohlich brummend bei tiefen Tönen, die Gesänge eines Kinderchors, bekannte Melodien mit neueren Texten, die für fröhlich gehalten werden sollten. Auf der weiträumigen Parkettfläche der Null-Etage kreuzten einander – nur scheinbar chaotisch, wie die Linien eines Schnittmusterbogens – die Wege vieler Menschen, meist nicht mehr junger Frauen und größerer Kinder; gruppenweise liefen sie vom dritten runden Wühltisch zum neunten, dann rüber zum fünften und wieder zurück zum ersten. Mit noch behandschuhten oder entblößten Fingern gruben sich die Menschen durch

Berge von Püppchen, Strümpfen, Wollmützen; einige standen Schlange vor der Heimwerkerartikel- abteilung, andere entschwanden auf breiten zwei- spurigen Rolltreppen nach oben.

Ich ließ mich von den Menschen schieben und zur Seite drängen, geriet zwischen die weniger fre- quentierten Haushaltswaren und lehnte schließlich einigermaßen unbehelligt auf dem Rand eines Con- tainers voller Dutzend-Packungen gelber Baum- kerzen. Aus irgendeinem Grund gefielen mir diese Kerzen; sie waren kurz, dick, absolut zylindrisch und von einem matten Gelb, das mich an den zäh- flüssigen Kunsthonig erinnerte, den ich als Kind gerne gegessen hatte, wegen der Krümel kristallisier- ten Zuckers, die darin enthalten gewesen waren; die hatten sich im Mund angefühlt wie süßer Sand, Zuckersand, und wenn ich ein Glas ausgelöffelt und es endlich geschafft hatte, all diese Kristalle mit der Zunge am Gaumen zu zerreiben, hatten mir die Milchzähne weh getan, und klebriger Speichel war mir aus den Mundwinkeln geronnen.
Tief in Gedanken, aber eigentlich unbeabsichtigt, steckte ich gleich zwei Päckchen dieser Baumkerzen unter meinen Mantel. Ich erschrak sogar ein wenig, als ich die Pappkartons, die ich mit dem rechten Arm gegen meinen Körper preßte, durch den Pullover

hindurch an meinen Rippen fühlte. Ich hatte nicht vorgehabt, etwas zu stehlen, ich wußte genau, daß ich in der letzten Zeit schon zweimal erwischt worden war und mir derartige Dinge vorläufig nicht erlauben durfte; doch mein Arm, der die Kerzen festhielt, krampfhaft, wie die Fänge eines Frettchens das Karnickel, und ein kurzer Blick auf das Menschengewimmel um mich herum zwangen mich zu der Einsicht, daß ich den Diebstahl keinesfalls rückgängig machen, sondern bloß noch versuchen konnte, jetzt möglichst schnell ins Freie zu gelangen.

Ich drehte mich weg von dem Container, reckte den Kopf, hielt Ausschau nach dem kürzesten Fluchtweg und spürte im selben Moment den Druck eines nackten Daumens auf den wenigen Zentimetern Halshaut zwischen Mantelkragen und Mützenrand. Als ich erschauernd die Schultern hochzog, hob die Hand, die sich so schattenleicht in meinem Nacken niedergelassen hatte, von mir ab, aber den Bruchteil einer Sekunde später, ich atmete auf und wollte gerade anfangen, an eine zufällige oder wenigstens irrtümliche Berührung zu glauben, packte sie mich beim linken Oberarm, umschloß ihn ganz, zog mich, zwang mich, rückwärts zu gehen.

Ich bog den Kopf nach hinten und zur Seite, erblickte einen barhäuptigen Mann in einem braunen Jackett und wußte sofort, daß ich den nicht zum ersten Mal sah. Gleich nachdem ich das Warenhaus betreten hatte, war er mir aufgefallen. Er war einer der wenigen Männer unter all den Frauen und Kindern, hatte ihnen im Weg gestanden wie ein Verirrter, kein Interesse für irgend etwas von den Tischen gezeigt und so seltsam sommerliche Sachen an, weder Handschuhe noch Mütze und Schal, nicht einmal Mantel, Jacke, Schipullover, bloß ein dünnes Nylonhemd, einen häßlichen olivbraunen Anzug und völlig trockene rostrote Halbschuhe. Gut, hatte ich mir gesagt, vielleicht wohnt der um die Ecke oder die haben hier eine Garderobe, warm genug ist es ja. Aber die Menschen hatten mich vorwärts gestoßen, weg von dem Mann, hin zu den gelben Kerzen, die mich an meine Kindheit erinnern mußten, und dann hatte ich zugefaßt, und nun er.

»Folgen Sie mir bitte, leisten Sie keine Gegenwehr«, sagte der Mann eher leise, mit einer weichen, täuschend freundlich klingenden, zu seinem groben Griff so gar nicht passenden Stimme. Ich ließ mich von dem Mann durch das Menschengewusel führen wie eine Blinde über eine Hauptverkehrskreuzung ohne Ampel. Tatsächlich sah ich nicht besonders gut, weil ich die Augen voll Tränen hatte; dennoch wurde mir immer klarer, daß der Mann einen Job machte, den ich bisher nur aus einigen nicht inländischen Büchern und Filmen gekannt, mitten in unse-

rer Wirklichkeit aber nie für möglich gehalten hatte:
Er war ein Warenhausdetektiv.

Ohne mir deswegen die Kerzenpakete entgleiten zu
lassen, fing ich mit der rechten Faust die über die
Lidränder tretenden Tränen ab und konnte mir
nun den Mann von der Seite anschauen; scheinbar
bemerkte er es nicht.

Der Mann hatte eines dieser ruhigen, blaß-glatten,
ja geradezu verdächtig belanglosen oder, wie wir
damals sagten, »konspirativen« Gesichter, die heute
in Kontaktanzeigen und Zeugenvernehmungsproto-
kollen gerne als »jüngere, unauffällige Erscheinung«
beschrieben werden. Sein feines braunes Haar war
ordentlich seitlich gescheitelt, aber schlecht ge-
schnitten. Das Kämmen, dachte ich, erledigt er selber, das Kürzen seine Frau, weil sie auf ein Auto auch
noch den Friseur sparen, vielleicht sogar ihren. Über
den unbeweglich auf die Treppe gerichteten, etwas
vorstehenden, aber sonst aus meiner Perspektive
kaum erkennbaren Augen waren die gelegentlich
müde zuckenden, schweren, schwarz bewimperten
Lider halb heruntergelassen und gaben dem Profil
des Mannes den Ausdruck von gemäßigter Staats-
trauer an einem Regentag. Die Nase war gerade,
etwas klein und röter als die schmalen, wie bei altge-
dienten Politikern kaum vorhandenen Lippen.

Mein Magen ballte sich zur Faust. Ich wußte, während ich versuchte, mich von diesem Schmerz abzulenken, indem ich die meinem Blick zugänglichen Teile des Warenhausdetektivs studierte, klar und genau, was gerade geschah. Man hatte mich erwischt, das dritte Mal, und führte mich, irgendwelche entlegenen Feuertreppen hinab, einer Konsequenz zu. – ›Eins, zwei, und die letzte Zahl heißt Drei.‹ – Stoisch wie junge Riesenschlangen, aber nicht sehr erfolgreich, drückten, kneteten, würgten meine Eingeweide den seltsam elastischen feindlichen Fremdkörper, den ich verschluckt hatte – die so oft den Sprung von einer in eine gravierend andere Qualität symbolisierende, vielleicht nicht einmal einem angeblich arabischen »Gesetz der Serie« gehorchende, unirdische, schicksalhafte, große, giftige Drei, die mich hinrichten wollte, noch ehe ich verurteilt war.

Diesmal würde ich nicht mit einem strengen Verweis des Verkaufsstellenleiters plus geringer Geldstrafe davonkommen. Jetzt erwartete mich ein richtiges juristisches Verfahren, Schuldspruch und Freiheitsentzug, bestenfalls auf zwei Jahre zur Bewährung ausgesetzt. Natürlich käme auch diese Geschichte in meine Akte, genau wie die mit dem Abiturverbot wegen »versuchten Biologielehrer-Betrugs« und die mit der abgebrochenen Friseur-Lehre, und hätte, da »dem Hang zur Tendenz einer rückläufigen Kaderentwicklung durch geeignete erzieherische Maßnahmen Einhalt geboten werden mußte«, meine Entlassung aus dem immerhin für die Produktion des staatlichen Zentralorgans verantwortlichen, ja sogar nach ihm benannten Druckkombinat zur Folge.

Und das alles bloß, weil dieser bei jedem unserer Schritte aus seinem kackbraunen Dederon-Anzug schwappende Schluck lauwarmen, verdünnten Leitungswassers, diese Pfütze von einem Warenhausdetektiv, mich kraft seines glitschigen Patschhändchens in irgendeinen mindestens drei Etagen unter der Tiefgarage verborgenen Kohlenkeller abschleppte.

Eine Woge des Zorns ließ die in mir angestaute Tränenflüssigkeit erneut hochsteigen und tropfenweise über die Lidufer treten. Plötzlich, für mich selbst ganz unerwartet, verweigerte ich den nächsten Schritt oder er sich mir. Die Beine mit durchgedrückten Knien gegen die Betonstufe stemmend, die Bauchdecke trommelstraff gespannt, alle verschließbaren Öffnungen meines Körpers, die Augen, die Lippen, die Pobacken, zusammenpressend wie eine von einem Messer bedrohte Auster ihre Schalen, wie vom Starrkrampf befallen, wie das in den Felsen gehauene Relief des störrischen Esels stand ich da.

»Machen Sie jetzt Probleme?« sagte der Warenhausdetektiv leise und zerrte vergeblich an meinem Arm.

Ich weiß nicht mehr, warum ich den Mund öffnete, wahrscheinlich brauchte ich ganz viel Luft. Jedenfalls kamen mir mit dem Ausatmen zwei Sätze über die Lippen, von denen ich bis heute nicht sagen kann, wie oder woher ich sie mir zugezogen hatte; ich erinnere mich nur daran, daß meine hinter den noch immer fest geschlossenen Lidern ins Dunkel meines von Angst und Wut betäubten Gehirns starrenden Augen sie keinesfalls von dem Bildschirm am Firmament meiner Schädeldecke abgelesen haben konnten, denn der war leer und kalt.

»Sagen Sie mal, Sie Arschloch, schämen Sie sich denn gar nicht? Sie haben doch zehn gesunde Finger, können Sie nicht was Richtiges arbeiten?« war der Wortlaut dieser Sätze, und mit einer hohen, klaren, mir fremd klingenden Stimme sprach ich sie zu dem Warenhausdetektiv, dessen Hand daraufhin, wie der vom Körper abgetrennte Tentakel einer Krake, ihren Griff lockerte, von meinem Arm glitt und nur noch in der Luft ein wenig sinnlos vor sich hinzuckte, ehe sie erschlafft niedersank auf den braunen Stoff über dem angewinkelten rechten Knie.

Ich schaute weg von der Hand, leuchtete mit meinen Augen die halbdunkle Gegend ab, in der wir uns jetzt befanden: staubiges Treppengeländer, Zementsäcke, über Putz verlegte Kabel, vergitterte Wandlampen, die aussahen wie Mausefallen und je

eine kaputte oder auch mal eine brennende Glüh-
birne gefangenhielten, eine grau gestrichene Eisentür – und dann begegnete mein Blick dem des
Warenhausdetektivs.

Der Warenhausdetektiv hatte sich, vielleicht weil er
nicht mehr meinen Arm umklammern, aber dennoch verhindern wollte, daß ich versuchen könnte
zu fliehen, in einer einzigen lautlosen Bewegung vor
mich geschoben. Ich warf, da ich zwei Stufen tiefer,
mit dem Rücken zu der Eisentür stand, den Kopf
nach hinten und sah dem Warenhausdetektiv einigermaßen tapfer von unten in die starr auf mich gerichteten Augen. Obwohl ich mich bemühte, ihm
standzuhalten und mir nichts anmerken zu lassen,
konnte ich diesen langen Blick aus weiten, dem
schlechten Licht angepaßten Pupillen kaum ertra-
gen, es lag etwas Weiches, fast Ergebenes darin.

»Meinen Sie, das bringt mir Freude? Ich war bei der
Fahne, ausbildender Offizier, acht Jahre, gutes
Geld, feine Menschen, aber dann ... Kommen Sie,
wir müssen ...« Wieder näherte sich die Hand des
Warenhausdetektivs meinem Arm, tippte ihn an mit
den Fingerspitzen, kurz und deutlich, wie wenn ein
Vogel im Vorbeifliegen etwas aufpickt.

Der Warenhausdetektiv schob mich mit der Schulter
sanft zur Seite. »Es geht nicht anders«, sagte er, nun
schon mehr zu der Eisentür, an der er sich mit einem

fetten Bund scheppernder Schlüssel zu schaffen machte, gespielt oder echt umständlich und unroutiniert, als sei er zum ersten Mal in dieser Situation.

Irgendwann stand die schwere Tür einen Spaltbreit offen. Der Warenhausdetektiv manövrierte mich unter seinem die Tür am Nachgeben hindernden Arm hindurch in einen schmalen, finsteren Flur mit zwei weiteren Türen auf der linken Seite.

Ich spürte die Wärme, die von seinem Körper ausging, so dicht stand der Warenhausdetektiv hinter mir, als hinter ihm die Eisentür zuschlug; dann war nur noch das Pfeifen der aus dem Schacht am Ende des Ganges entweichenden Luft zu hören und sehr leise das Über-die-Betonwand-Schaben einer den Lichtschalter suchenden Hand.

Zum Abhaun war es nun endgültig zu spät; ein phobischer Krampf erfaßte mich. Um nicht mit den Zähnen knirschen zu müssen, biß ich mir auf die Unterlippe, so heftig, daß ich, außer diesem nicht unerträglichen Schmerz, kaum mehr etwas fühlte. Ich wußte nicht, ob ich meine Frechheit bereuen oder trotzig beibehalten sollte, und erst recht nicht, was mit dem Warenhausdetektiv los war. Gut, ich hatte gestohlen, er mich ertappt, das war schlimm, und dennoch konnte nicht das allein der Grund meines Zustands sein. Hier stimmte noch etwas anderes nicht. Obwohl das bislang Geschehene für mich fatal, aber halbwegs begreiflich gelaufen war, kam mir alles seltsam falsch vor, und selbst das Falsche schien nicht richtig zu sein. Ich hatte keinerlei Beweise, kein wirkliches Indiz, bloß die schattenhafte Ahnung, daß gleich, bald, später, wie auch immer ich versuchen sollte, dem zu entrinnen, etwas Verhängnisvolles über mich herein- und gleichzeitig unter mir zusammenbrechen würde; doch was, was war es? Je fieberhafter ich grübelte, umso tiefer tauchte ich ein in ein wüstes Durcheinander verdrehter, zerstückelter Bewußtseins- und Traumbildfragmente. Hinter meinen Augäpfeln entzündete sich ein Feuer, aus dem ich keinen Gedanken, keine Empfindung retten konnte. Mein geringes Wissen, meine wenigen Erfahrungen, meine blühende Phantasie, das ganze geistige Eigentum – verbrannt zu nicht mehr unterscheidbar kleinsten Teilchen – tanzte, wie Schwärme leuchtender Essigfliegen, noch einen Augenblick lang wild durcheinander, zwischen den Flammen, die aus meinem Gehirn hochschlugen, bis an die Schädeldecke, und erlosch dann, Fünkchen für Fünkchen, in dem weiten, düsteren Gewölbe über meinem demnächst wahrscheinlich restlos umnachteten Verstand.

Flackernd erglommen ein paar Neonröhren. Der Warenhausdetektiv öffnete die zweite Tür auf der linken Seite: »Hier hinein, wenn ich bitten darf.«

Wir betraten einen kleinen, fensterlosen Raum, der nur aus einer an eine alte Werkbank geklemmten Schreibtischlampe beleuchtet wurde. Am linken Rand der Werkbank, neben einem grauen Standard-Telefon, lagen auf einer durchfetteten Papiertüte ein halbes angebissenes Roggenbrot und etwa hundert Gramm gewellter vertrockneter Salamischeiben. Am rechten Rand stapelten sich Broschüren und Hefte, das oberste war ein Kriminalroman in einem von einem stilisierten Galgen verzierten schwarz-weißen Umschlag. Eine Ecke dieser offensichtlich nur teilweise zweckentfremdeten Abstellkammer füllte ein blecherner Umkleidespind, aus dem ein Stück eines Autoreifens lugte. In den drei anderen Ecken lagen Säcke, Kabelstücke, Werkzeuge, mehrere gebrauchte Feuerlöscher.

Der Warenhausdetektiv wischte mit dem Ärmel über die Sitzfläche eines Stuhles, etwas nicht sehr Schweres fiel zu Boden. »Diebesgut auspacken und hinsetzen bitte«, sagte er und nahm selber an der gegenüberliegenden Seite der Werkbank neben der Lampe Platz. Der Warenhausdetektiv zog eine Schachtel Zigaretten aus dem Jackett: »Rauchen Sie?« – »Schon«, entgegnete ich, »aber nicht Ihre.« Ich legte, zusammen mit den Baumkerzen, meine billigen Filterlosen auf die Bank und fügte, weil ich merkte, daß ich mich wieder halbwegs in der Gewalt hatte und meine Stimme beim Sprechen nicht zitterte, so pampig wie möglich hinzu: »Nehmen Sie doch eine von meinen, oder dürfen Sie das nicht – könnten ja geklaut sein.«

Der Warenhausdetektiv hielt den Kopf schräg und sah mich an, bekümmert, fast traurig, irgendwie auch schuldbewußt: »Ich weiß, Sie sind so jung, Sie wollen sich Ihr Leben nicht von ein paar lumpigen Wachslichtern kaputtmachen lassen, aber das hätten Sie sich vorhin überlegen sollen.«

»Hauptsache, Sie sind noch ganz, wenn Sie nachher heimkommen, zu Mutti...« Ich unterbrach mich, denn mir war, als habe ich mich nun doch etwas im Ton vergriffen. Beklommen tastete ich meine Manteltaschen nach Streichhölzern ab und spürte in der Nase und in den Augen schon wieder dieses verdächtige Kribbeln.

Der Warenhausdetektiv gab erst mir, dann sich Feuer, mit einem Sturmfeuerzeug, dessen gelbe, nach Benzin duftende Flamme für den Moment so etwas wie eine gemütliche Atmosphäre schuf.

»Wollen wir uns nicht vielleicht auch noch eine von den Kerzen anzünden?« sagte ich und versuchte zu lachen.

»So ist die zivile Jugend. Leichtfertig seid ihr geworden.« Der Warenhausdetektiv stippte die Asche seiner Zigarette auf die Salamischeiben, schob, kleine

Kurven ziehend als sei das ein Spielzeugauto, die Tüte mit den Essensresten in meine Richtung. Ich zerdrückte die nur halb gerauchte Filterlose auf dem Brot und fischte mir eine neue Zigarette aus der Schachtel des Warenhausdetektivs. Wieder sah er mich an. So direkt und offen und überzeugend schmerzlich war sein von den zwischen uns hochsteigenden Rauschschwaden verschleierter Blick, daß ich begann, ihn schön zu finden, ja sogar etwas Hoffnung schöpfte auf einen vielleicht doch nicht ganz tragischen Ausgang meines, wie ich mir fest vornahm, letzten kleptomanischen Anfalls.

»Auch ich war einst ein unbekümmerter Mensch – nicht wie Sie, etwas Unrechtes hätte ich nie tun können –, aber glauben Sie mir, ich habe das Leben genossen...«

»Genossen« ist gut, dachte ich, neigte mich dem Warenhausdetektiv entgegen und befahl meinen Augen, den Augen des Warenhausdetektivs mit dem Ausdruck gespannter Aufmerksamkeit zu begegnen, wann immer sie mir diese Blicke schickten – weiche, leuchtende Blicke, wie Glühwürmer, die in mich hineinkriechen wollten.

Seinen Vater habe er nicht gekannt, seine Mutter immer andere Kerle gehabt und ihn, ihr einziges Kind, nicht geliebt, er sei froh gewesen, von zu Hause wegzukönnen, habe sich deshalb gleich für zehn Jahre verpflichtet und seine Zukunft »arschklar« vor sich gesehen: Grundwehrdienst, Offiziersschule, neuer Vertrag auf noch mal zehn Jahre, acht Jahre lang sei auch alles »astrein« gelaufen, doch dann habe man ihn als Ausbilder zu einer Grenzkompanie versetzt, wo er »mit seinen Soldaten prima ausgekommen« wäre, aber einer seiner Vorgesetzten nicht mit ihm, der habe ihm »was Moralisches angehängt«, sein Wort gegen das von dem Oberst, da habe er sich, ob- wohl er »vollkommen unschuldig« gewesen sei, nicht wehren, seinen »Kopf nicht aus der Schlinge« ziehen können und schließlich seinen »Hut nehmen müssen«. Drei Monate vor Ablauf seiner ersten Zehn-Jahres-Verpflichtung habe man ihn – das solle ich mir mal vorstellen – aus der Armee, die ihm alles gewesen sei, in Unehren entlassen.

Der Warenhausdetektiv, dessen Stimme zuletzt stockend und heiser geworden war, fuhr sich mit dem Ärmel seines Jacketts über das Gesicht. »Glau- ben Sie mir«, sagte er, »ich weiß, wie das ist. Ich will Ihnen nicht schaden, auch wenn Sie, im Gegensatz zu mir, wirklich einen Fehler begangen haben. – Ende Juli bin ich weg von der Fahne, für den Polizei- dienst brauchte ich mich gar nicht erst bewerben, nun bin ich hier, seit September, seit dieser Kasten in Betrieb ist. Wenn ich mich bewähre, wenn ich mir nichts, aber auch gar nichts zuschulden kommen

lasse, vielleicht geben die mir dann doch noch einmal eine Chance...«
Ich sah die Felle der Gnade, die ich schon zum
Greifen nah geglaubt hatte, auf- und davon-
schwimmen, und richtig, der Warenhausdetektiv
räusperte sich: »Das nützt alles nichts, da müssen
Sie jetzt durch, die werden Ihnen nicht gleich den
Kopf abreißen. Also, Personaldokument, Porte-
monnaie. Handtasche haben Sie nicht?«
Der Warenhausdetektiv zog ein Protokollformular
aus dem Broschürenstapel und einen Kugelschrei-
ber aus der Innentasche seines Jacketts. Ich legte
meinen Ausweis und etwas loses Kleingeld zu den
beiden Baumkerzenpackungen und ließ die Tränen
fließen, denn jetzt konnten sie mir nur noch nüt-
zen. »Bitte verzeihen Sie«, jammerte ich, »Ihre Geschichte ist so furchtbar, bestimmt waren Sie ein
guter Offizier...« Ich mußte den Satz abbrechen,
weil die Verachtung, die ich – spätestens seit meiner Bekanntschaft mit den Soldatenfotos des Mannes, der behauptete, mein Vater zu sein – gegen
alles Militärische hegte, Töne in meine Stimme
preßte, die dermaßen falsch klangen, daß ich ver-
gaß, was ich sagen wollte. Aus lauter Verlegenheit
warf ich mich schluchzend über die Sachen auf der
Werkbank. Ich lag einfach da und gab den Haufen
Elend und kam erst wieder zu mir, als ich spürte,

wie sich die Hand des Warenhausdetektivs vorsichtig unter meine Wange schob. »Na, na«, sagte er, »Sie machen ja den Paß naß.«

Ich hatte nichts weniger erwartet als solche Worte. Ernüchtert hob ich den Kopf, sah, daß der Warenhausdetektiv inzwischen das Protokoll ausgefüllt hatte und verlegte mich aufs Betteln: »Sein Sie doch nicht so gemein..., ich fliege raus..., die Schande..., meine arme alte Oma..., tun Sie mit mir, was Sie wollen, nur das nicht...« Ich stand auf, packte den Warenhausdetektiv, der sich ebenfalls erhoben hatte, bei den Revers, hielt ihm mein tränenüberströmtes Gesicht entgegen.

Der Warenhausdetektiv legte seine Hände um meine Fäuste, öffnete meine Finger, schob mich von sich, so weit seine ausgestreckten Arme reichten, und schaute mich wieder an wie der Löwenbändiger die zahnlose Bestie.

»Wir sind noch nicht fertig«, der Warenhausdetektiv schlug mit der Rechten kurz auf das Formular, »hier fehlt was. Warten Sie, ich will Ihnen das erklären, damit Sie mich auch wirklich richtig verstehen. Sie wissen, wo Sie die Kerzen hatten? Nun, das ist eine beliebte Methode. Es gibt da so Polinnen, auch andere natürlich, die nehmen sich Unterwäsche aus den Regalen, gehn auf die Kundentoilette, ziehen sich um, spülen, und dann sind dauernd unsere Klos verstopft, massenweise ziehen die Klempner alte BHs aus der Scheiße.«

Die Worte des Warenhausdetektivs überraschten mich, aber eher angenehm, denn sie verrieten meiner Meinung nach mehr als andeutungsweise, was jetzt gespielt werden sollte, und ich war dafür, weil ich etwas in der Art von einem Mann wie dem schon lange erwartet hatte und meine Welt nun wieder stimmte, weil es mich abregen würde und, wenn es erstmal passiert war, das Verhältnis zwischen ihm und mir auf eine grundsätzlich andere, für mich vielleicht sogar günstigere Ebene bringen konnte.

»Also das ist das Problem. Ich habe nichts zu verbergen. Ich brauche keine Büstenhalter«, rief ich fast begeistert, ließ mir meinen Mantel von den Schultern gleiten, kreuzte die Arme vor dem Bauch und wollte mir den handgestrickten Pullover, unter dem ich nackt war, mit einem Ruck über den Kopf ziehen. Aber es ging nicht, der Warenhausdetektiv hatte den Rand meines Pullovers ergriffen und hielt ihn fest. Sein gerötetes Gesicht berührte meine Haare. »Nein«, sagte er, »gerade das habe ich nicht gemeint, bitte hören Sie mich doch zu Ende an. – Es hat eine Leibesvisitation stattzufinden – so lautet eine Vorschrift, deren Durchführungsbestätigung auf dem Formular hier eindeutig vermerkt sein muß und ohne die das Diebstahlermittlungsprotokoll unvollständig ist und weder von mir noch von Ihnen unterschrieben werden kann. Ich bin lediglich berechtigt, diese Körperkontrolle an einem Kind oder einer Person meines Geschlechts vorzunehmen, ein weibliches Wesen jenseits der Pubertät habe ich einer Kollegin zu übergeben. Diese neue Vorschrift, meine Liebe, die ist unser Problem, denn ich glaube Ihnen, daß Sie nichts als die Kerzen gestohlen haben, und es liegt, wenn der Preis des Diebesgutes den Grenzwert von fünf Mark nicht überschreitet, durchaus im Bereich meiner Kompetenz, das Delikt, unter der Voraussetzung, daß der Täter Reue zeigt und ein schriftlich erteiltes Warenhausverbot akzeptiert, als minderschwer einzustufen und den Fall nicht an das zuständige Polizeirevier, sondern lediglich an die Schiedskommission seines Betriebes weiterzuleiten. Verstehen Sie, obwohl die alte Petze von Oberverkäufer der Haushaltswarenabteilung Sie verraten und anschließend mich bei der Arbeit beobachtet hat, könnte ich Sie laufen lassen, doch erst nach der Leibesvisitation, der Sie sich hier nicht unterziehen dürfen, weil ich ein Mann bin, und das ist der Haken.«

»Ihr habt keine Detektivinnen?« fragte ich leise. Wieder beschlich mich diese unbestimmte Angst, die ich bereits kannte, denn es kam mir schon merkwürdig vor, daß ein so abstruser Bürokratentext dem

Warenhausdetektiv derart flockig von den Lippen gegangen war.

»Nein, haben wir nicht. Außer mir selbst sind in diesem Objekt noch zwei Kollegen tätig; der eine ist krank und der zweite auch alles andere als eine Frau«, antwortete der Warenhausdetektiv ziemlich ironisch.

»Das finde ich unlogisch. Wenn hier nur Männer schnüffeln, kann Ihre beschissene Leibesvisitation bei einer Diebin sowieso nie gemacht werden«, empörte ich mich.

»Vorschriften sind selten logisch und Sie mein erster erwachsener weiblicher Dieb, deswegen muß ich ja die Polizei einschalten, die leistet sich Beamtinnen, extra für so was.« Der Warenhausdetektiv grinste schlau, und ich fing, da mir nun endgültig klar wurde, daß die Aussicht auf eine eventuelle Rückkehr in den Schoß der Armee ihn weit mehr interessierte als mein Schicksal oder wenigstens mein jugendlicher Busen, wieder zu weinen an.

Wer war ich? Ich konnte keine drei Kerzen klauen, ohne geschnappt zu werden, und keinen lumpigen Kerl verführen, auch nicht mit hochgekrempeltem Pullover, selbst diesen abgesägten Armisten nicht, nicht mal sein Herz erweichen, in Litern meiner heißen Tränen.

Ich fühlte mich so elend, so hoffnungslos verlassen,

so abgrundtief traurig, daß ich, frei von jeglichem Kalkül, aber mit einer hohen, klaren Stimme, den Gedanken aussprach, der mich für den Moment ganz beherrschte: »Gut, dann bringe ich mich um.«

Bis heute weiß ich nicht, ob ihm dieser Satz an die Nieren oder meine ewige Flennerei auf die Nerven ging, ob es Teil eines hinterhältigen Plans oder wirklich Intuition war, daß der Warenhausdetektiv plötzlich zum Telefonhörer griff, mir, als ich ihn entsetzt ansah, müde zulächelte und »warte mal« sagte. »Was haben Sie vor?« schrie ich, weil ich fürchtete, er würde die Nummer der Polizei wählen.

Der Warenhausdetektiv wedelte beschwichtigend mit dem Hörer: »Beruhige dich, mir ist da gerade etwas eingefallen. In der Telefonzentrale gibt es eine Mitarbeiterin, eine freundliche, diskrete Person, die mir noch einen Gefallen schuldet. Die rufe ich jetzt an und bitte sie, dich zu untersuchen, und wenn alles in Ordnung war, unterschreiben wir beide das Protokoll für die Schiedskommission – keine Polizei, null Gericht, bloß Denkzettel...«

»Wenn Sie meinen«, unterbrach ich kaum erleichtert den Warenhausdetektiv. Warum duzte der mich jetzt? Wieder lauerte dieses schwer zu beschreibende, gestalt- und geruchlose Gruslige im ganzen Raum rings um mich herum, schlich sich auf unhörbaren Zehen an mich heran und schärfte meine ohnehin überreizten Sinne derart, daß ich nicht mehr unterscheiden konnte, ob das, was nun geschah, realo-wirklich war oder ob ich es mir vielleicht bloß einbildete.

Der Warenhausdetektiv wählte eine kurze Nummer, die er nirgendwo ablas, legte beide Hände fest um Hör- und Sprechmuschel und wartete. Ich lauschte angestrengt, konnte aber, weil ich etwas zu weit entfernt saß, weil der Mann alles tat, um es zu verhindern, oder einfach, weil er nur Theater spielte, keinen Rufton vernehmen.

»Christine?« flüsterte der Warenhausdetektiv, »ja, ich bin's, du weißt schon. Christine, ich hätte da ein kleines Anliegen... Nein, wär' besser, wenn du herkämst... So, du bist allein... Kannst du die Vermittlung nicht für einen Augenblick zum Pförtner runtergeben?... Ach, du wartest auf ein Ferngespräch mit Voranmeldung, Rumänien, verstehe... Was, der Chef ist noch im Hause, extra deswegen?... Ja, es wäre wichtig... Sie ist nicht älter als deine Tochter... Doch, das ginge schon... Gut, dann laß es uns so machen, wie du gesagt hast... Ich danke dir, bis gleich.«

Während er diese Sätze sprach, Antworten gab auf Fragen, die ich nicht hörte, nickte, lächelte, rauchte der Warenhausdetektiv, ganz wie bei einem wirklichen Gespräch. Ich schaute mir den Apparat genau an; er war ein stinknormales Telefon, ohne ein Lämpchen, das aufleuchten konnte, wenn eine Verbindung bestand, und das andere Ende der schwarzen Schnur verlor sich zwischen dem Müll in der linken Ecke hinter dem Warenhausdetektiv.

Der Warenhausdetektiv legte den Hörer ab. »Tja«, sagte er und machte eine Miene, so unergründlich wie die eines Eisbären. »Du hast es wohl mitgekriegt, sie kann da nicht weg, trotzdem will sie dir helfen. Was sie vorschlägt, geht allerdings nur, wenn du uns vertraust. Es ist schon ein bißchen heikel, aber immer noch besser für dich als die Polizei.«

Ich nickte stumm. Der Warenhausdetektiv erhob sich, packte einen der großen blauen Plastiksäcke bei den unteren Zipfeln, drehte ihn um und schüttete ihn aus; steife farb- und schweißverkrustete Arbeitsklamotten rieselten auf die Feuerlöscher nieder.

Der Warenhausdetektiv schaute an mir vorbei und glättete pedantisch den leeren Sack. »So«, sagte er rauh und eine Spur zu tief, »damit begeben wir uns jetzt eine Tür weiter, dort ist nämlich die Bauarbeitertoilette. Du gehst in die dritte Kabine und machst dich frei; jeden Faden, den du am Leibe hast, steckst du hier hinein« – er deutete auf den Sack –, »dann reichst du mir das Ganze nach draußen. Ich trage deine Sachen zu der Telefonistin, die untersucht sie, bezeugt auf dem Protokoll, daß nichts aus unserem Hause dabei war, ich komme wieder, du ziehst dich an, unterschreibst, kassierst das Warenhausverbot und verschwindest. Alles klar?!«

»Ja«, sagte ich kleinlaut, »aber könnten nicht genausogut Sie nachsehen – ich meine, wenn das Zeug in der Tüte ist...« – »Nichts aber«, unterbrach mich der Warenhausdetektiv, »und noch was – glaubst du tollpatschige kriminelle Schlampe wirklich, ich sei ein dämlicher Fetischist und hätte Lust, meine Nase in deine dreckigen Schlüpfer zu stecken? – Nun komm endlich, oder laß es bleiben.« Der Warenhausdetektiv gab mir den Sack und einen kleinen Stoß zwischen die Schulterblätter.

»Okay«, würgte ich aus enger Kehle hervor. Obwohl ich wußte, daß der schlappe Scherz weder die Situation retten, noch die Vertrautheit, die einmal scheinbar zwischen uns geherrscht hatte, erneuern konnte, fügte ich hinzu: »Schließlich mußten Sie Ihr Ehrenkleid ja auch schon mal ablegen.«

Der Warenhausdetektiv verriegelte die Tür zu seinem Büro oder was das war, damit, wie er sagte, »während unserer Abwesenheit kein Unbefugter hier eindringen kann«. Die Tür zu den Bauarbeiterklos war nicht abgeschlossen, die drei Kabinentüren, die er, wohl zur Kontrolle, nacheinander aufklinkte, ebenfalls nicht.

Der Warenhausdetektiv wies mir die hinterste Kabine. »Die gehört uns vom Objektschutz«, sagte er, »die anderen wissen das, denn sie hat ein zusätzliches Vierkantschloß, und so wird es niemanden wundern, wenn sie sich nicht öffnen läßt, obwohl anscheinend nicht besetzt ist, aber jetzt kommt vermutlich sowieso keiner mehr; die Handwerker machen meistens schon um vier Feierabend. Sollte, ehe ich zurück bin, wider Erwarten doch noch jemand hier aufkreuzen, verhältst du dich absolut still, verstanden. Ich würde ja lieber den ganzen Trakt dichtmachen, aber das geht nicht, weil dieser Abort hier der einzige im Hause ist, der immer zugänglich sein muß, wegen eventueller Rohrbrüche. Denn sieh mal, da, neben dem Waschbecken, die beiden dicken Messinggewindestifte, die sind zum Wasserabstellen, bis wir vielleicht doch noch die passenden Hähne kriegen ...«

Ich betrat die Kabine, legte den Riegel vor, zog meine Sachen aus und wagte es, nachdem er mich so gemein beschimpft hatte, nicht mehr, den Warenhausdetektiv zu bitten, er möge wenigstens das Vierkantschloß offenlassen, weil die von ihm erwähnten Handwerker mich, wenn sie es wollten, trotzdem entdecken könnten, denn wie man weiß, schleppten solche Leute oft irgendwelches Werkzeug und sogar Kantschlüssel mit sich herum.

Als ich meine gesamten Sachen, Mantel, Pullover, Rock, Strumpfhose, Schlüpfer, Schuhe, sogar meine Haarspange, in den Sack gesteckt hatte, fiel mir auf, daß ich heute mittag ohne meine Armbanduhr von zu Hause weggegangen war und daß der Warenhausdetektiv, wenn er mich entblößt nicht sehen wollte, gar nicht erfahren konnte, ob ich auch wirklich alles eingetütet hatte.

»Uhr habe ich keine bei mir«, sagte ich leise. Ich hoffte, der Mann hinter der Tür würde mir mitteilen, wie spät es war, denn ich hatte nicht nur seit Stunden keine Uhr mehr gesehen, sondern außerdem – bei dem miesen Kellerlicht und sicher auch vor Aufregung – jegliches Zeitgefühl verloren.

»Bist du jetzt mal fertig, die wartet. Und keine Tricks, versuche bloß nicht, mich zu verarschen. Wenn ich sage, alles einpacken, dann meine ich wirklich alles, kapiert?!« zischte der Warenhausdetektiv wie eine durchgeschüttelte Brauseflasche mit lockerem Kronkorken.

Ich kletterte auf den Klodeckel und reichte meine Kleider runter. Der Warenhausdetektiv nahm den Sack entgegen, schulterte ihn, zog den Vierkant aus dem Schloß, steckte ihn mitsamt dem ganzen schweren Schlüsselbund in seine linke Hosentasche und ging los. An der Tür zum Flur stoppte er kurz, wendete mir blick- und wortlos den Kopf zu. Ich winkte ihm – wie zum Abschied aus einem Zugfenster.

Dann war der Warenhausdetektiv verschwunden, so spurlos, daß ich nicht einmal mehr den leisesten Widerhall seiner Schritte hörte; nur noch die Eisentür drehte sich in den Angeln, knarrend und langsam, und blieb schließlich auf dem halben Weg zum Rahmen stehen.

Ich stieg von der Toilette, setzte mich hin, legte mir, obwohl ich zu glühen glaubte, die Arme um die Schultern. Für die Dauer eines Augenblicks, nicht länger, freute ich mich, daß ich allein war und diesen Mann, der mir schon bald die Freiheit schenken würde und mich deshalb ohne Zigaretten nackt in eine Scheißhauszelle gesperrt hatte, jetzt nicht ansehen mußte.

Eine ganze Weile saß ich einfach nur da wie das Häschen in der Grube, still, mit gekrümmtem Rücken und nichts fixierenden offenen Augen, und lauschte dem gelegentlich von Glucksen, Gurgeln oder einem feinen, hellen Brummen skandierten Rauschen, das aus mehreren über meinem Kopf entlanglaufenden Rohren zu kommen schien. Doch irgendwann wurde das Kribbeln an meinem blank auf dem schwarzen Klodeckel festklebenden, schon halb abgestorbenen Hintern derart unangenehm, daß ich mich erheben und mir mit den Händen die roten Druckstellen reiben mußte. Innerlich zapplig, weil besessen von der Sehnsucht nach einer Zigarette, aber gleichzeitig darauf bedacht, so wenig Geräusche wie möglich zu verursachen, vertrat ich mir die Beine und stellte dabei fest, daß meine Zelle, mein Versteck, mein Wartehäuschen... oder wofür ich diesen Ort von einem Moment zum nächsten nun halten wollte, gar nicht so klein war. Es gab die elfenbeinfarben lackierte Holztür, an die nicht einer der üblichen das weibliche Geschlechtsteil darstellenden Rhomben gekritzelt war, links und rechts je eine helle, Sprelacart-beschichtete, fenster- und lochlose Preßspanplatte, eine vom roten Steinboden bis zu den bräunlichen Rohren unter der geweißten Decke russisch-grün gefliese Rückwand und, neben dem Sanitärporzellansockel mit der Brille-Deckel-Garnitur aus hartem schwarzem Kunststoff, einen jener damals landesüblichen ovalen hellgelben Müll- oder Abfalleimer, auf denen in schwarzen, kühn geschwungenen Buchstaben das lateinische Wort für »Sklave« oder »Diener« stand.

Ich fragte mich, was ein solches normalerweise zur diskreten Aufnahme gebrauchter Damenbinden bestimmtes Gefäß in einer angeblich ausschließlich von Männern benutzten Toilettenkabine zu suchen hatte, und trat den Fußhebel nieder bis zum Anschlag; aber da der Mechanismus, wie bei fast allen Exemplaren dieses Modells aus bruderstaatlicher Produktion, nicht richtig funktionierte, mußte ich mit den Händen nachhelfen. Also schob ich die Finger unter den Gummirand des gewölbten Deckels, der bleischwer zu sein schien und sich nur zentimeterweise und laut und dumpf ächzend öffnen ließ, wie der einer jahrhundertelang vergessenen Truhe, die nun gezwungen wird, ihr schreckliches Geheimnis preiszugeben. Ich hielt erschrocken inne, weil ich mit solchen Tönen nicht gerechnet hatte, lugte jedoch, ehe ich dem Abfalleimer gestattete, sein Maul wieder zu schließen, durch die bereits entstandene Lücke noch schnell in ihn hinein. Der Eimer war leer. Kein zellstoffumwickeltes Päckchen, kein polnischer Büstenhalter, keine zerknüllte Schachtel der Zigarettenmarke, die der Warenhausdetektiv rauchte, nicht einmal eine Kippe oder eine Handvoll ausgekämmter Menschenhaare.

Für mein Empfinden – und es gab ja sonst nichts, nichts was mir geholfen hätte, mich diesbezüglich genauer zu orientieren – war seit dem Verschwinden des Warenhausdetektivs noch nicht allzuviel Zeit vergangen, und so hatte ich aus Langeweile gerade damit begonnen zu untersuchen, ob sich nicht vielleicht auch der Spülkasten irgendwie öffnen ließe, als ich plötzlich Schritte hörte, schnell näher kommende, energische Schritte. Ich wollte schon »Da sind Sie ja endlich!« oder etwas in dieser Art ausrufen, biß mir aber im letzten Augenblick auf die Zunge, vielleicht weil es jetzt wieder leise war, so leise, daß ich glaubte, ich hätte bloß eine akustische Halluzination gehabt. Ich hielt die Luft an und lauschte gespannt wie ein Tier in der Dunkelheit. Ich spürte, ja hörte die Schläge meines Herzens, die Geräusche aus den Rohren, und dann, durch all das hindurch, immer deutlicher den Atem eines Menschen. Obwohl ich diesen ewigkeitsähnlichen Moment lang so vieles so genau verstand wie niemals zuvor und nie mehr wieder in meinem Leben, empfand ich ihn doch als einen von tiefster Stille. Dann knirschte die Klinke; meine Tür bebte, weil jemand energisch daran rüttelte.

Ich sank auf den Klodeckel nieder, der Jemand räusperte sich, öffnete die Tür zur Nachbarzelle und legte von innen den Riegel vor. Das Nächste, was ich vernahm, war das Zippen eines Reißverschlusses, begleitet vom Anschlagen des Klodeckels an den Spülkasten. Danach ließ sich der Jemand mit seinem ganzen und – wenn ich meinen Ohren trauen durfte, nicht geringen Gewicht leise seufzend auf die Brille plumpsen.

Ich befürchtete schon das Schlimmste, bemerkte, während ich mir vorstellte, welche Geräusche ich nun zu erwarten hatte, daß es – wie so oft auf den nicht privaten Toiletten dieses Landes – kein Klopapier gab, jedenfalls nicht in meiner Kabine, und überlegte, ob der nebenan einer von denen war, die immer welches bei sich trugen, und was wohl geschehen würde, wenn mein Warenhausdetektiv gerade jetzt zurückkäme; aber ich kriegte bloß einen ohne Druck abgesonderten, mehrmals unterbrochenen, gegen Ende hin nur noch tröpfelnden Strahl zu hören. Wie eine alte Frau, dachte ich, obwohl ich diesen Menschen dort hinter der linken Preßspanplatte trotzdem für einen Mann hielt und auch schon von Männern gelesen hatte, die lieber im Sitzen pissen. Nicht wenig verblüfft spürte ich, daß dieses freundliche Plätschern mich animierte.

Einesteils erleichtert, hörte ich nun das Knarren der Klobrille und dann kurz die Spülung. Doch merkwürdig, es folgte kein Zippen des Reißverschlusses;

der nebenan öffnete nicht die Kabinentür, ging nicht davon, mit diesen schweren, energischen Schritten, statt dessen raschelte etwas, kein Klopapier. Zu der Pein, die mir meine volle oder schon erkältete oder auch nur nachahmungstriebhaft angestiftete Blase bereitete, kam noch eine weit größere, die das Aufzischen eines entzündeten Streichholzes, gefolgt von tiefem Einatmen verursachte – das Schwein rauchte!

Mir schossen Tränen der Gier in die Augen, aber ich mußte stillhalten; mir blieb nichts übrig, als durch meine weit aufgerissenen Nasenlöcher den würzigen Geruch einzusaugen.

Die Atemzüge des Mannes wurden seltsam heftig, gingen in Stöhnen und Keuchen über. Vielleicht braucht der ja eine Zigarette, damit er doch noch scheißen kann, dachte ich voller Bitterkeit, aber mir schwante schon, daß der Mann mit etwas anderem beschäftigt war. Nicht die Geräusche selbst, die sich, zumindest anfangs, so anhörten, als könnte auch ein physischer Schmerz, vielleicht eine Gallenkolik, sie hervorgerufen haben, nicht dieses halbwilde, routinemäßige Grunzen, das der Mann nebenan mit irgendwie verstopft und verschleimt klingenden Atmungsorganen erzeugte, sondern das zunehmend schnellere Tempo, der immer gleichmäßiger und intensiver werdende Rhythmus dieser Töne brachte mich darauf, daß er sich höchstwahrscheinlich einen runterholte.

Spätestens jetzt beschlich mich ein gewisser Verdacht, der mich beinahe freute, denn wenn er sich bestätigen sollte, wären die Geschehnisse der letzten halben oder vollen Stunden bald nicht mehr so mysteriös; diese ganze verschlungene Alptraumgirlande aus gradezu absurd logisch sich ineinanderfügenden Widersprüchen ließe sich entknoten, zerpflücken und sortieren zu einzelnen Sinnelementen, die ich im Gedächtnis aufbewahren und später mit kaltem Interesse betrachten könnte, eins nach dem anderen, wie die Teile einer komplizierten Maschine, deren Funktionen man möglicherweise erst begreift, wenn man die Maschine total demontiert vor Augen hat.

Unhörbar leicht atmend und zeitlupenlangsam glitt ich von dem Klodeckel, auf dem ich, seit dieser Mann hier war, mit angezogenen Beinen hockte wie ein Frosch auf einem Seerosenblatt; ich ließ mich vornübersinken, krümmte mich nach unten, rollte mich ein und versuchte dabei jeden überflüssigen Kontakt mit Klo, Wänden oder Boden zu vermeiden. Schließlich hielt ich meinen großen runden, von den ungewohnten pantomimischen Übungen völlig verkrampften Körper auf dem Zehenballen des linken Fußes und den Fingern der rechten Hand in einer halsbrecherisch instabilen Balance. Für den Bruchteil einer Sekunde war dieses mühsam gefundene Gleichgewicht tatsächlich ernsthaft gefährdet, denn ich fragte mich plötzlich, was ich wohl mit meinem Verdacht und meinen begrenzten akrobatischen Fähigkeiten angefangen hätte, wenn der etwa zehn Zentimeter breite Spalt zwischen dem unteren Rand der Preßspanplatte und dem Boden gar nicht vorhanden gewesen wäre, doch ich fing mich wieder, drückte die rechte Gesichtshälfte an die kalten Bodenfliesen und linste rüber zur Nachbarkabine.

Ich kann nicht sagen, wie enttäuscht ich war. Die in schlappen Querfalten um zwei Fußknöchel hängenden Hosenbeine waren blau und die Schuhe keine rostroten Halbschuhe, sondern geschnürte, kalkfleckige Arbeitstreter mit dicken, dreckigen Sohlen.
Selbstverständlich kam mir in den Sinn, daß der, an den ich gedacht hatte, so listig gewesen sein könnte, Schuhe und Hosen zu wechseln, sich also untenherum, oder ganz und gar, womöglich samt angeklebtem Schnurrbart, als Bauhandwerker zu verkleiden, aber die Füße paßten absolut nicht. – Kleine Füße kann man mit zu großen Schuhen als große Füße tarnen, obwohl in dem Fall wahrscheinlich auch die Schritte nicht so fest und sicher geklungen

hätten wie jene, die ich gehört hatte, doch nie und nimmer, nur darin besteht ja der Charme des Märchens »Aschenputtel«, richtig große Füße mit zu kleinen Schuhen, – und der Warenhausdetektiv hatte mindestens Größe vierundvierzig.

Ich rührte mich nicht und erwartete, nun allerdings mit verhaltener Schadenfreude, weiterhin jeden Moment die Rückkehr des Warenhausdetektivs. Der Mann, von dem ich, so sehr ich auch die Augen verdrehte, nicht mehr zu sehen bekam als die Schuhe und das kurze Stück Hosenbeine und den ich, trotz oder gerade wegen dieser dürftigen Indizien, für einen kleinen, dicken Elektriker hielt, stöhnte immer noch. Ich hörte ihm aufmerksam zu und zählte in Gedanken bis etwa dreihundert, dann endlich entrang sich seiner Kehle der uns beide erlösende Gewichtheberschrei. Ich wünschte irgendwie, daß das Ende des Aktes, oder der Aktion, mit spuckeähnlich auf dem Fußboden landenden Spermatropfen besiegelt und also bestätigt würde, aber nichts dergleichen geschah. Er hatte wohl ins Klo getroffen oder seine Hosen, oder – als ordentlicher, mit dem eigenen Samen nicht ganz so pietätlos umgehender Elektriker – ein Stofftaschentuch bereitgehalten.

Jedenfalls erhob sich der Mann jetzt, drückte ein letztes Mal die Spülung, wahrscheinlich auch um die Zigarettenkippe zu beseitigen, auf die ich, als ich noch hoffte, er würde sie nach Proletenart einfach glimmend fallenlassen, ein wenig spekuliert hatte, öffnete die Tür und ging weg.

Ich war wieder allein und erst einmal froh, mich aufrappeln, tief Luft holen, meine Glieder strecken und endlich pinkeln zu können. Doch als ich da so saß, mir selber lauschend, jederzeit bereit, den Strahl zu unterbrechen, und auch, als ich fertig war und mich fragte, ob ich es wagen durfte, die, wie ich gehört hatte, laute, lang anhaltende Klospülung zu betätigen, kamen mir die schrecklichsten Gedanken: Wo blieb der verdammte Warenhausdetektiv? Wie spät war es eigentlich wirklich? Wann schloß dieser Laden?

Auf der leeren, glatten Fläche vor meinen Augen erschien plötzlich eine gar nicht idyllische Fata Morgana: Am Fuße eines Treppenabsatzes zwischen erster und zweiter Etage schwamm, auf einem Teiche seines gerinnenden Blutes, mit grotesk verdrehten Gliedern, gebrochenem Genick und aufgeplatztem Schädel, kein anderer als der Warenhausdetektiv. Seine vielleicht schon leichenstarre rechte Faust, aus der weiß die Knöchel hervorstanden, umklammerten einen nur halbvollen Plastiksack, das Gelenk der anderen Hand klemmte zwischen den Fingern eines Arztes, der stumm den Kopf schüttelte, weil er nicht die Spur eines Pulses mehr fühlte. Ein Rettungswagenfahrer lehnte rauchend neben seiner leeren Krankentrage an der Wand, bleichgesichtige Verkäuferinnen umstanden in angemessener Distanz die Szene.

Ich wollte weinen, aber meine Augen blieben trokken und starrten weiter auf die Tür, die jetzt wieder spurlos bleich war, wie die Rollo-Leinwand im Wohnzimmer eines befreundeten Ehepaares nach Ende der Urlaubsdiavorführung.

Die tiefe, nur vom Rauschen, Glucksen, Brummen der rohrverwahrt irgendwohin strömenden Gase und Flüssigkeiten ein wenig gestörte Stille, das wie unter Lidschlägen unwillkürliche Flackern des fahlen Neonlichts, in dem meine Haut die Farbe angetauten Fischfilets hatte, das für einen Moment unbändige, aber im nächsten erstaunlicherweise schon fast zur Erinnerung verblaßte Verlangen nach einer Zigarette, die von Mal zu Mal schneller abflauenden Schübe zweifelzernagter Hoffnung auf ein Ende des Wartens..., das alles versetzte mich in einen widersprüchlich-harmonischen, melancholerischen Zustand, etwa so, als wäre ich Medium und Hypnotiseur zugleich.

Um nicht andauernd mit bis zur Schmerzgrenze gespitzten Ohren in die Ferne lauschen zu müssen, versuchte ich, weitere Bilder an die Klotür zu projizieren. Ich hob die Unterlider, senkte den zitternden Streifenvorhang der Wimpern halb hinab, bis mein Blick unscharf genug war, rieb mir dann die dünne Pelle über den Augäpfeln, daß die Funken tanzten, und zog zwischen den marodierenden Glühpünkt-chen imaginäre krumme Striche, die schemenhaft bewegliche Silhouetten umrissen. Die so entstehen-den nebelhaften Gebilde deutete ich als Figuren und Requisiten: der Warenhausdetektiv, die Telefoni-stin, meine Strumpfhosen, mein Pullover, meine Schuhe in einer wüsten Szene; aber da meine Phanta-sie, insbesondere meine erotische Phantasie, dafür nicht ausreichte und auch weil sie mir einfach lieber waren, verwandelten sich die gerade erst flüchtig skizzierten Orgien-Bilder wieder in jene vom Warenhausdetektiv mit dem gebrochenen Genick.

Irgendeine Weile konzentrierte ich mich, so gut es eben ging, darauf, mit diesen anstrengenden und nicht gerade tröstlichen optischen Halluzinationen ein paar Einheiten Ewigkeit totschlagen zu wollen, doch die kaum weniger absurde Realität zersetzte meine ohnehin schwindsüchtigen Phantasiegespin-ste wie eine Säure; die Klotür war schon wieder noch immer die Klotür, der Abfalleimer leer und ich un-verfroren nackt und alleine.

Obwohl ich wußte, daß ich nicht beurteilen, ja nicht einmal schätzen konnte, seit wann ich hier nun eigentlich einsaß, rekapitulierte ich detailliert die Geschehnisse ab der Straßenbahnfahrt gegen fünfzehn Uhr und ermittelte, daß ich das Warenhaus vor etwa drei Stunden betreten hatte. Mir wurde schwindlig, denn wenn es vielleicht tatsächlich ungefähr achtzehn Uhr war, sollte jetzt meine Nachtschicht im Druckkombinat anfangen und das Warenhaus müßte gleich schließen.

Warum bloß hatte ich mich dem dicken Elektriker nicht bemerkbar gemacht? Er wäre wahrscheinlich eher erfreut als erschrocken gewesen und hätte mir mein unkompliziertes Entgegenkommen vergleichsweise billig mit seiner ihm durchaus entbehrlichen Arbeitsjacke und seiner Unterhose vergolten. Womöglich war dieser Wichser der letzte Mensch gewesen, dem ich heute hätte begegnen können.

Ich beschloß, nicht mehr auf den Warenhausdetektiv zu warten, zu riskieren, daß mich jemand entdeckte und ein Riesentheater veranstaltete, daß man mich bei dem Arsch von Warenhausdetektiv oder sonstwo abliefern und mich gleich wegen mehrerer Delikte schon morgen ohne meine noch zu vervollständigende Akte aus dem Druckkombinat entlassen würde. Aber ich wollte vorsichtig und schlau sein und versuchen, notfalls nackt wie ich war, durch irgendeinen Lieferanteneingang zu entweichen. Im

Schutz der Dunkelheit würde ich die zwei Kilometer bis zum Haus der Eltern laufen, Steinchen werfen ans Fenster meiner Oma, die schnell die Tür öffnen, mich ins Bad stecken, mir Sachen zusammensuchen und erst einmal nichts fragen würde. Und sollte mich unterwegs ein Polizist aufgreifen, so würde ich mich ihm entwinden, und sollte mir das nicht gelingen, so würde ich verwirrt stammeln, ich sei überfallen, vergewaltigt und beraubt worden.

Den Umständen entsprechend glücklich darüber, daß die Teile, aus denen die Toilettenkabinen gezimmert waren, nicht bis zur Decke reichten, zog ich mich an der Tür hoch, stellte einen Fuß auf den Riegel, stemmte mich ab und klomm weiter, bis ich, naß und schlapp wie ein Lappen, bäuchlings über der Kante hing. Ich hielt mich fest, drehte mich, mein anderer Fuß angelte nach der Klinke; als er sie gefunden hatte, absolvierte ich noch eine Vierteldrehung und glitt zu Boden.

Ich ging zum Waschbecken, ließ kaltes Wasser laufen, trank ein wenig, suchte mit den Augen einen Spiegel und vor allem ein Handtuch, das ich mir gerne um die Lenden gewickelt hätte; beides gab es nicht. Gekrümmt, die gespreizten Hände vor meine Brüste und meine Scham haltend, schlich ich hinaus in den dunklen Flur. Ich konnte mich genau daran erinnern, daß der Warenhausdetektiv sie abgeschlossen hatte, trotzdem drückte ich gegen die Tür, hinter der ich sein Büro, das Diebstahlermittlungsprotokoll, meine Zigaretten und haufenweise verrottende Anstreicherklamotten wußte – die Tür war eisern zu. Mich die Wand entlangtastend, tappte ich nun zu der dritten, einen Spaltbreit offenen Tür, die an das seitlich gelegene, vermutlich dem normalen Publikum nicht zugängliche Treppenhaus grenzte. In den spärlichen Lichtstrahlen, die vom Toilettenraum aus den Flur erreichten, erkannte ich die vergitterten toten Glühbirnen wieder, duckte mich lauschend hinter das Geländer, hörte nichts, stieg ein paar Stufen hinauf, zum ersten der papiernen Zementsäcke, die ich ebenfalls vorhin schon bemerkt hatte. Den Zement wollte ich auskippen, für die Arme die Ecken ab- und für den Kopf den Boden einreißen; so könnte ich mir wenigstens einen Packpapiersack überstülpen, auch wenn der bei jeder Bewegung verräterisch knistern würde.

Der Zement war offensichtlich irgendwann einmal feucht geworden, denn er war steinhart, und das dicke Papier klebte an ihm fest wie Plakate an Litfaßsäulen. Also schlich ich zum nächsten Sack, der sich auch mit seinem erstarrten Inhalt verbunden hatte, und genauso war es bei den drei übrigen Säcken. Unter einem kleinen grünlichen Lämpchen tauchten die Umrisse der schweren zweiflügligen Tür auf, durch die mich der Warenhausdetektiv zuerst geführt hatte und hinter der die riesige Verkaufsfläche des Erdgeschosses liegen mußte. Ich preßte mein Ohr gegen die Tür und horchte; es herrschte vollkommene Stille. Nirgendwo an dieser Tür gab es eine Klinke zum Niederdrücken oder ein ordentliches Schlüsselloch zum Spionieren, nur im linken Flügel steckte, etwas versenkt, der stählerne Zylinder eines Sicherheitsschlosses.

Konnte es ein, daß es bereits so spät war, viel später als achtzehn Uhr? Waren nicht nur die vielen Kunden, sondern auch das meist länger bleibende abrechnende und aufräumende Verkaufspersonal schon gegangen? Warum gab es in diesem Treppenhaus kein einziges Fenster, das sich öffnen oder einschlagen oder mich einfach nur ins Freie sehen ließ? Ich stieg noch höher hinauf, zum zweiten Treppenabsatz mit einer weiteren Flügeltür, dann in den dritten und schließlich in den vierten und letzten Stock.

Meine Augen gewöhnten sich an die vereinzelt aus der Finsternis starrenden phosphorgrünen Lichter, aber meine Ohren nicht an die Stille. Nirgendwo hörte ich nur den geringsten Laut, nichtmal mehr etwas von dem Glucksen und Brummen dort unten im Toilettenkeller. Ich fand keine unverschlossene Tür, kein Fenster, kein Stückchen eines Lumpens, keinen Fetzen Zeitung, keine Ritze, keine Kippe.

Eine Weile hockte ich zusammengekauert auf der obersten Etage vor der Tür, ich hatte und habe keine Ahnung, warum. Als mir doch ein wenig kühl wurde, stand ich auf, versenkte meinen Blick in die schwache grüne Glut des Katzenaugenlichtleins über meinem Kopf und begann, erst leise, dann immer lauter, mit den Fäusten an die Tür zu hämmern. Ich schrie »hallo« und »Feuer« und hoffte wohl, ich könnte einen Alarm auslösen oder den Nachtwächter herbeitrommeln und -brüllen. Vielleicht wäre er ja ein alter Knacker, dem ich irgendeine Sittengeschichte vorjammern konnte, bis er bereit war, mir zu helfen, bloß damit er nicht selber in diese von mir raffinierterweise nur angedeuteten, garantiert zeugenlosen Unannehmlichkeiten verwickelt würde. Oder ich würde mich, sobald ich ihn kommen hörte, verstecken und ihm, während der Schein seiner Taschenlampe über die Türflächen kroch, aus dem Hinterhalt ins Genick springen und ihn per Handkante k. o. schlagen; dann Jacke runter, Schlüssel her, und nichts wie weg. Was aber, wenn der Nachtwächter gar kein Nachtwächter wäre, sondern so ein junges, dynamisches Polizistenmiststück, oder wenn er auf die Idee käme, das zentrale Treppenlicht einzuschalten oder ihm einfiele, mit seiner Lampe erst mal die Ecken abzuleuchten?

Wie eine aufgescheuchte Assel huschte ich all die Stufen wieder hinunter, zurück zu dem vertrauten Toilettenraum. Da hatte ich wenigstens Neonlicht und Wasser und, wer weiß, vielleicht saß ja jetzt auch mein Warenhausdetektiv rauchend hinter seiner Werkbank und machte sich Sorgen, weil er – risiko-scheu und rehabilitationsgeil wie er nun mal war – extra den Ladenschluß abgewartet, mir dies aber, vor lauter Streß oder damit ich halbwegs ruhig bliebe, nicht gesagt hatte. Sicher fragte er sich, ob mir etwas passiert wäre, ob mich eventuell doch ein Bauarbei-ter entdeckt oder ob ich mein bißchen Vertrauen nun ganz verloren und schon wieder einen Fehler began-gen hätte, diesmal einen, der auch ihm zum Verhäng-nis werden könnte...

Den Keller fand ich unverändert, keine Spur vom Warenhausdetektiv oder einem Nachtwächter, und so was wie eine Alarmanlage schien es, trotz der selt-samen grünen Lämpchen auf den Etagen, auch nicht zu geben.

Ohne eine bestimmte Erwartung, nur so, um irgend etwas zu tun, untersuchte ich die beiden nicht vier-kantverschlossenen Kabinen, die vorn an der Tür und die vom Elektriker, auch hier war nichts außer je einem leeren Mülleimer namens »Servus«.

Als mein Blick zufällig die zwei Messinggewindestifte unter dem Waschbecken streifte, dachte ich an
das, was der Warenhausdetektiv über Wasserabstellen und Notfälle gesagt hatte. Aber da ich noch immer leidlich bei Verstand war, sah ich ein, daß ich mit
meinen bloßen Händen und drei Mülleimern keinen
Rohrbruch inszenieren und deshalb auch keine
Klempner herbeilocken konnte.

Ich pflanzte mich auf den Deckel des mittleren Klos.
Der Rücken tat mir weh und meine dreckigen Fuß-
sohlen brannten. Fast sehnsüchtig erwartete ich die
nächste der heißen Panikwogen, die mich bislang zu
all den unsinnigen Unternehmungen angetrieben
und mir doch das Gefühl gegeben hatten, meiner
Situation nicht gänzlich ohnmächtig wie einer Na-
turkatastrophe ausgeliefert zu sein, doch es kam
keine mehr. Ich spürte bloß Schwäche und eine flaue
Übelkeit, die vielleicht vom Hunger herrührte oder
ein weiteres Anzeichen für Nikotinentzugserschei-
nungen war.
Ich hing da wie der berühmte Pudding in der Kurve,
halt-, mut-, willenlos und schon allein damit zufrie-
den, daß mir auf dem harten Plastikklodeckel nicht
der Hintern fror. Bevor ich vollends verschwand,
unter Tausenden von gleißend hellen, mikrosko-
pisch kleinen, flaumweichen, mit den feinen Här-

chen und Poren der Haut aber immer noch fühlbaren Flocken oder Tropfen einer Art Halbagonie, die einer mißlungenen Narkose kaum weniger ähnelte als dem erschöpften Schwebezustand nach langem Schwimmen im offenen Meer oder besoffenem Sich-ausruhen-wollen im frischen Schnee, ging mir noch durch den Kopf, daß ich alles versucht hatte, nur nicht nachgeschaut, ob es bei dem Luftschacht am anderen Ende des Kellerflurs vielleicht jene einzige, letzte, märchenhafte Tür gebe, die nicht verschlossen wäre. Doch ich konnte mich nicht mehr aufraffen, keine weitere Enttäuschung vertragen, und ich fürchtete mich vor der Eiseskälte der Nacht dort draußen.

Ein recht fernes blechernes Scheppern, gefolgt von einem satten Aufklatschen, wie wenn man eine Qualle zu Boden fallen ließe, weckte mich aus einem nicht sehr tiefen Traum, von dem ich bloß noch weiß, daß ich, beengt und entsprechend zusammengekauert, in einem Würfel hockte, dessen Augen teller-große, dicke, vielfach gesprungene, deshalb nicht besonders durchsichtige Glasbullaugen waren und mit dem Riesen, Elefanten oder Bagger spielten, während ich mich, um mir wenigstens etwas Schmerz zu ersparen oder es vorübergehend nicht ganz so dunkel zu haben, oder weil gerade darin meine Aufgabe bestand, immer so mitbewegte mit den Sätzen, die der Würfel machte, und den Pirouetten, die er drehte, daß sich in dem Moment, in dem er wieder einmal zum Stillstand kam, die Fläche mit den sechs Bullaugen oben über meinem Kopf befand.

Ich war noch nicht wieder ganz bei mir und fühlte mich so zerschlagen, als hätte ich das Matterhorn bestiegen, aber ich erhob mich und ging steifbeinig ein paar Schritte in Richtung Kellerflur, den Geräuschen entgegen. Im Treppenhaus brannte Licht. Ich lehnte mich an den Rahmen der offenstehenden Flurtür, doch so, daß, wer immer da lärmend unterwegs war – wenn er überhaupt die Absicht hatte, hierherzukommen – erst einmal nur mein Gesicht sehen würde.

Sie war eine Frau um die fünfzig, mit einem grauen Lockenkopf, in einem bunten Nylonkittel, dessen känguruhbeutelartig geschnittene Bauchtasche voller Lappen steckte. Sie trug einen verzinkten Eimer, Schrubber, Kehrschaufel und Feger. Sie kam mir entgegen, schaute aber, wohl weil sie keine Hand frei hatte, um sich am Geländer festhalten zu können, nur auf ihre geschwollenen, in ausgelatschten flachen Schuhen steckenden, vorsichtig von Stufe zu

Stufe tastenden Füße. Sie war tatsächlich die Karika-
tur einer Putzfrau und machte die introvertiert-ab-
weisende Miene eines Menschen, der sich alleine
glaubt.

Ich kann mir nicht erklären, warum ich, obwohl
ich doch darauf gefaßt gewesen sein mußte, daß sie
tief erschrecken würde, meine sicher rotgeäderten
Augen wie Saugnäpfe an die Erscheinung der
ahnungslosen Frau heftend, »hallo« sagte – mit einer
vom langen Schweigen eingerosteten, heiser kräch-
zenden, in dieser Umgebung und Situation um so
schauriger und dennoch menschenähnlich klingenden Kolkrabenstimme – ausgerechnet das Telefon-
wort »hallo«.

Die Frau schrie kurz auf, verstummte, blickte wild
um sich, entdeckte mein zwischen Tür und Rahmen
klemmendes Gesicht und schrie wieder. Diesmal
wurde es ein lauter, lang anhaltender, Fragmente
einer Klangfolge modellierender Kehlkopfton. Sie
ließ den Eimer fallen, umklammerte, mich feindselig
anstarrend, mit der nun freien Hand das Treppengeländer, wollte zurückweichen, aber die Beine knick-
ten ihr weg, und sie mußte sich setzen. Das Wasser,
das aus dem Eimer gelaufen war, umspülte meine
Füße.

Selbstverständlich überlegte ich, wie es wäre, wenn
ich die Frau jetzt überrumpelte. Drei Schritte, ein

Schlag, Lappen in den Mund, und ich hätte zumindest eine Kittelschürze.

Wahrscheinlich war es gerade meine Nacktheit, die mich zögern ließ. Um die gewaltsam zu beenden, hätte ich hervortreten und, weil ich sie dafür gebraucht hätte, meine Hände von meinen intimsten Körperteilen nehmen müssen. – Daß die Frau nicht ohnmächtig wurde oder wenigstens wegsah, sondern mit ihren Augen weiterhin meinen Blick festhielt, kam wohl erschwerend hinzu.

Irgendwo weiter oben scheppperte es, als würde wieder so ein großer, voller Zinkeimer abgesetzt, und eine weibliche Stimme rief: »Ist es eine Ratte, Thea?« Dann hörte ich Getrappel, von mehr als einem Paar Füßen. Ich erwog kurz die Rückkehr in eine der Klokabinen, aber ich blieb. Ich wußte, sie würden mich aufspüren, so oder so. Sie waren bestimmt ausnahmslos Frauen, Putzfrauen, wahrscheinlich alle fast so alt wie meine Oma; vielleicht fände ich ja ein paar passende Worte und könnte sie, wenn ich ihnen auch noch Geld verspräche, dazu bewegen, daß sie mir ein Kleidungsstück liehen, mich gehen ließen ...

Sechs oder sieben Putzfrauen, tatsächlich keine unter fünfzig, bildeten einen Halbkreis um die Tür, hinter der ich immer noch stand, die Hände vor

Brust und Scham. Sie starrten mich an und sagten erst einmal gar nichts. Dann erhob sich jene, die mich entdeckt hatte und Thea genannt worden war, von der Treppe und rief: »Ich hole Helmut.«

»Bitte«, flüsterte ich, »kann ich eine Schürze haben? Es ist wegen...« – »Helmut?« unterbrach mich eine der Frauen und fügte, als sich die Blicke der anderen nun auf sie richteten, hinzu: »Nee, das dürfen wir nicht.«

Die graugelockte Thea kam wieder, mit ihr ein kräftiger, höchstens vierzigjähriger, verschlafen aussehender Mann, der wahrscheinlich Helmut war und vielleicht auch der Nachtwächter, dessen Aufmerksamkeit ich nicht hatte wecken können. Die Frau, die »... das dürfen wir nicht« gesagt hatte, eine hochgewachsene Person, drehte sich um und schob mich hinter ihren Rücken. Der Mann drängelte sich durch den Zaun aus Frauen, schaute an der, die mich deckte und ihm nun wie ein Baum gegenüberstand, vorbei, tippte mit irgendwas, vermutlich seinen Fingerspitzen – so als könne er es erst glauben, wenn er mich berührt hatte –, gegen meinen gesenkten Kopf und fragte dicht neben meinem linken Ohr: »Ist sie das?« – »Nein, ich bin's, du Schnarchnase«, antwortete die Matrone vor mir, und die anderen Frauen lachten.

»Reißt euch zusammen, die Genossen werden gleich

hier sein«, sagte in diese etwas finstere Heiterkeit hinein nicht unscharf der Mann.

In dem Polizeiauto, das verhältnismäßig langsam und ohne Blaulicht nun schon etliche Kilometer durch die Stadt gefahren, aber noch immer nicht an seinem Ziel, dem zuständigen Revier, angekommen war, befanden sich, außer mir, noch zwei Menschen, Männer, beide kaum älter als ich, der eine polizei-grün, der andere zivil gekleidet, und – seltsa-merweise – ein Tier, ein schwarzer Schäferhund. Der Polizeigrüne saß hinterm Lenkrad, neben ihm, brav und aufmerksam, wie man sich einen Beifahrer nur wünschen kann, der Hund. Neben mir, auf der Rückbank, hockte in züchtigem Abstand der Zivile. Die Heizung lief auf vollen Touren. Ich schwitzte unter dem Uniformmantel, den mir der Zivile in das Warenhaus gebracht hatte, bevor er, sein Begleiter und Helmut mich zum Auto eskortiert hatten.
Die Männer rauchten und schwiegen. Ich rauchte auch, schaute hinaus auf die noch dunklen, men-schenleeren Straßen, überlegte, welche Arbeit ich wohl finden könnte, nach der Entlassung aus dem Druckkombinat, mit meiner um den Bericht von den jüngsten Ereignissen und deren Folgen bereicherten

Akte, und beschloß, dem diensthabenden Revierleiter – oder wem immer ich gleich vorgeführt werden würde – alles wahrheitsgemäß zu erzählen. Nur die Episode mit dem Wichser wollte ich weglassen, weil sie die einzige war, für die im Büro des verschollenen Warenhausdetektivs keinerlei Beweise herumlagen.

Warum der Warenhausdetektiv, dessen Namen ich nicht kannte, der sich – was von Leuten seiner Art ja niemand erwartete – mir gegenüber weder mit einer Blechmarke noch mit einer amtlich gestempelten Pappe legitimiert, aber auch in keiner Weise zu erkennen gegeben hatte, daß er nicht der sei, für den ich ihn ausgab, nicht zurückgekommen war, habe ich nie erfahren können, nicht bei meiner ersten und einzigen Vernehmung auf der Polizeiwache, nicht bei der Gerichtsverhandlung, nicht Wochen später, als ich schon im Glühlampenwerk am Fließband saß, und, den Ausweis einer mit entfernt ähnlich sehenden Freundin in der Tasche, trotz schriftlich erteilten Verbots drei Tage hintereinander stundenlang das Kaufhaus nach ihm absuchte, und auch nicht viele Jahre später, als ich ganz andere Möglichkeiten gehabt hätte, es jedoch vorzog, mich zu erinnern und ihn auf diesem Wege endlich zu vergessen.

HEINRICH BÖLL
DER BLASSE HUND

Erzählungen
Mit einem Nachwort von Heinrich Vormweg
Für den Druck eingerichtet von Viktor Böll
und Karl Heiner Busse
Leinen

Mit diesem Band werden rund ein Dutzend bisher unveröffentlichter Erzählungen Bölls aus dem Nachlaß vorgelegt, darunter zum ersten Mal ein Text des jungen Böll aus der Vorkriegszeit.

KIEPENHEUER & WITSCH

Jens Sparschuh
Der Zimmerspringbrunnen

Ein Heimatroman

Leinen

Brillant und komisch, schlitzohrig und vor allem unterhaltsam nimmt Jens Sparschuh in diesem Vertreterroman deutsche Gegenwart aufs Korn.

Kiepenheuer & Witsch